逆境を生き抜く

「打たれ強さ」の秘密

――タフな心をつくるメンタル・トレーニング――

メンタル・トレーナー　岡本正善

JN263203

青春新書
PLAYBOOKS

はじめに

私は、「メンタル・トレーナー」です。教師でもないし、心の傷を癒す治療者でもない。ましてや「この教えを信じればあなたは変われる」と説くわけでもありません。

メンタル・トレーナーというのは、その人がもともと持っている実力をどうすれば有効に発揮できるか、その方法をいっしょに考えるのが仕事です。

ほとんどすべての人が、自分の本来持っている力を出すことができずにいます。その原因はといえば、ここぞという大事なときに緊張してガチガチに固まってしまったり、周囲を気にして自分のペースをつかめなかったり、プレッシャーに縮こまったり、過去の失敗にとらわれていたり、自分はダメなんだと自己否定にはまっていたり……。

つまり「打たれ弱い」のです。

こんな人にとって、私のトレーニングの方法は非常に有効です。

私のメンタル・トレーニングは、まずはプロ・スポーツの世界で次々成果をあげたことが評価され、企業の新人研修や中間管理職の研修、講演などもしてきましたが、幸いにしていずれも好評です。

それは「なぜ○○できないのか」と自分を責めたり落ちこんでいる状態から、「どうすれば○○できるか」という状態へと、スイッチを切り換えることです。

私自身が、赤面症や人間関係に悩んでいた学生時代から今日に至るまで、この方法を自分に生かしつつ、ノウハウを積み上げてきました。

＊

私はスポーツの世界でメンタル・トレーナーとして仕事を始めたので、ある意味で結果が見えやすかったと思います。ここ一番で実力が出せずに伸び悩んでいた若手が、トレーニングでトップに立てた。契約したチームが優勝できた。けれども正直言ってしまえば、どこまでが本当にメンタル・トレーニングの成果か、わかりません。

というのも、どの人も力はもともとあったのです。その人だからこそ持っている力を私は「潜在能力」と呼んでいます。けれども何かが邪魔をして、その潜在能力を十分出すことができずに眠らせている……これがメンタル・トレーニングの前提です。

「打たれ弱い」と思っているあなたには、「打たれ強くなる」力がある。「自分はこんなはずじゃない」と感じている人には、「こうありたい自分」になる力がある。「自分はダメな人間だ」と落ちこんでいるとしても、そこから抜け出す力は自分の中にある。

どうすればその力を出せるのか。本書で見つけてください。

*

自分の潜在的な可能性を一〇〇パーセント出し切っている人はいません。ほとんどの人は数パーセントがせいぜいでしょう。その中で、たとえばプロ選手として天才的な感覚を持った人や、事業家として大成功した人、芸術家として表現の舞台をつかんだ人などは、ここぞというときに力を発揮してチャンスをつかむコツを体でつかんでいる。

天才ではない私たちも、トレーニングで同じコツをつかむことが可能です。

何も難しい修行が必要なわけではありません。本書を読んでいただければわかる通り、大きな基本さえ納得すれば、あとはちょっとしたコツの積み重ね。

もしも本書を読んでいるうちに、「これもあれも身につけなければいけない。大変だぞ」と負担に感じたら、無理せずいったん本を閉じてしまうほうがいい。

くれぐれも「こんなことじゃダメだ、いつまでたっても変われない」と自分を否定しないこと。「良くも悪くも今の自分を肯定する」……これが大切な基本なのです。

あなたは今、どんなことで困っていますか？　モヤモヤしているのはどんな点ですか？自分の現状を認めるところからいいスタートを切ることができるのです。スタートラインがきちんとしていて目標がしっかり定まれば、気持ちよく走り出すことができます。

その「目標」がわからないって？……心配ご無用。きちんと目標を持って生きている人など、ごくわずかしかいません。たいていの人は目標がつかめないか、自分に合わない目標や押しつけられた目標のために実力が出せないでいるのです。

楽しんで読んでください。なんだ、そんなことだったのか！　と思えたらそれでよし、あなたの潜在能力の扉が開き始めたのです。もともとあなたが認識している自分の力というのは、たまたま表に出ているだけの氷山の一角にすぎません。今まで眠らせていた潜在能力が働き出すことで、人生は大きく変わるのです。どんなふうに変えるのか、はあなた次第です。

目次

2 しばられていた心を今、解き放とう

4 真の強さをいかに持ち続けるか ⑲

逆境を生き抜く自分になるヒント

著者写真　長野陽一
本文イラスト　平松尚樹
図版作成　ハッシィ

序

「弱い自分」であなたはこんなに損をしている！

実際のところ、人間に「弱い、強い」の区別はありません。弱い人間がいるとしたら、それは自分を「弱いんだ」と決めつけているから。
「打たれ弱い人間」を演じることで、あなたがどれだけ損をしているか。次にあげることに思い当たるフシがあったら、自分の可能性をひどく狭めていることになります。

第一の損は、「自分にはできない」という回路ができてしまうこと。

人はみな過去の情報をもとに生きています。たとえば小さい頃に人前でプレッシャーを感じてあがってしまい、思うような力が出せなかった体験をすると、次に同じような場面になったとき、脳がその情報をもとに状況を判断します。「あのときと同じだ。またうまくいかないのではないか」と考える。だから固くなってうまくいかない。これを繰り返すうちに、「自分はプレッシャーに弱い」という思いこみができあがります。その回路をもとに行動するから、ますますうまくいかない場面が増え、「プレッシャーに弱い自分」がつくられていく。
「ここ一番で力が出せない」「なにかと運が悪い」と思いこんでいる人も、過去に何かの手ひどい失敗体験を持っているわけです。ひょっとすると実際に失敗していなくても、親から「そんなことをしたらダメ。きっと失敗する」と言われ続けてきたのかもしれない。いざ何かをしようとすると、「無理ではないか」「うまくいかなかったらどうしよう」という思いが頭をもたげて、あとずさってしまう。どこか腰が引けていたり、自分にブレーキをかけてしまう。そしてタイミングを逃す。結局は、いやな予感の通りに自分で失敗を演じてしまうことになるのです。

第二の損は、悪い状態に慣れてしまうこと。

人間は不思議なもので、不幸や不運に慣れる習性があります。うまくいかないことが続くと、その状態が無意識に自分の居場所と思いこんでしまう。物事がちょっとうまく進んでいると居心地が悪くなるのです。「こんなはずはない」「調子に乗っているとひどい目にあうぞ」と、無意識のうちに悪材料を探し始める。

もちろんどんな状況でも、すべてがうまく運ぶということはなく、何か心配な材料はあるものです。自分の目標がハッキリしている人は、壁に突き当たったとき「よし、これをどう乗り越えようか」と考えますが、悪い状態に慣れてしまった人は、「ああ、やっぱり予想通りうまくいかなかった」とそこであきらめてしまうのです。

第三の損は、自分がどっちつかずで苦しいこと。

誰だって、よりよく生きたいと思っています。意識では「いい仕事をしたい」「周囲とうまくやりたい」「充実した人生を送りたい」と思っている。ところが無意識のうちに、「そんなことは無理だ」「きっとだめだ」と決めつけていると、自分の中に意識と無意識の大きなズレができます。このズレが足を引っ張り、きちんとした目標が設定できない。本当にどうしたいのか、何を望んでいるのかわからなくなってくる。目標が見えないのだから、力も発揮できないということになるのです。

第四の損は、人間関係で魅力が発揮できないこと。

魅力がない人はいません。ところが悪い状態に慣れてしまい、自分が本当に望んでいることがわからなくなり、自分に自信が持てないとどうなるか。自分の持っている魅力に自分で蓋をしてしまう。「弱い自分を隠そう」「こんな自分を見られたくない」という気持ちが働くからです。

自分を生き生きアピールできなければ、よい関係はつくれません。仕事にせよ、異性関係にせよ、せっかくの出会いのチャンスを逃してしまうことになるのです。

第五の損は、相手のマイナス面を引き出してしまうこと。

例をあげましょう。あなたが小学校のときに、先生からひどく叱られた嫌な思い出があるとします。その先生はメガネをかけてオールバックだった。あるとき仕事で大切な相手先と初めて会ったら、なんとその先生に瓜二つ。意識の上ではそんな昔のことは忘れているつもりが、脳は過去の情報をもとに「メガネをかけてオールバックだ。この人は僕にいじわるをする人だ」と判断している。だから、「あ、どうも初めまして」と笑顔をつくっているはずが、ぎこちない無表情の顔に……。相手も無意識のうちにこのぎこちなさを受け取って、反応が硬くなります。会話はギクシャクし、当然ながら関係はうまくいかず、「やはりいやなヤツだった」ということになってしまう。

それと同じように、「自分は弱いから損だ」「また裏切られるのでは」「きっとわかってもらえないさ」と感じていると、そんな波長を周囲に向かって無意識に出しています。そして結局、いつも損をしたり、裏切られたり、疎外されたりするのです。

自分のことを「弱い人間」だと決めつけることで、これだけの悪循環が起こってくる。ところで、実際には弱くない人間などいません。誰にだって弱みはある。逆説のようですが、いわゆる「強い人間」というのは、自分の弱さをきちんと認めている人のことなのです。

弱さを否定したり、隠そうとするのではなく、そのままの自分を受け入れるところからすべてがスタートする。

このあたりのコツをのみこめば、生き方が変わります。

1章からいよいよ「打たれ強さ」の秘密や「プレッシャー」の正体を解き明かしつつ、徐々に場面ごとのヒントや具体的なトレーニング法へと入りましょう。

あなたの眠っている潜在能力を、発揮する方法があるのです。

1

打たれ強い人と弱い人はここが違う

どんなことにぶつかっても、いかなる場面でも強くあるために

具体的なトレーニングに入る前に、まずは入門編から。

プレッシャーとは何か？　緊張とは？　不安とは？　失敗とは？

あなたはきっと大きな誤解をしているはず。実力が出せない原因は、その誤解からきていることが多いのです。自分の中にある誤解を修正しながら、メンタルの「基本法則」をつかんでください。

何事もウォーミングアップが重要。さあ、こり固まった頭をほぐしましょう。

プレッシャーに勝つ人、つぶされる人

ある人は、ここぞというときに実力を発揮して、周囲に認められて伸びていく。

別の人は、いつもチャンスを逃し、どんどん自信をなくして萎縮する。

その分岐点はどこにあるのか……ズバリ言います。

「プレッシャーに勝つ」人というのは、プレッシャーをどう利用しようかと考える。「プレッシャーに潰される」人は、プレッシャーからどう逃げようかと考えるのです。

まず、プレッシャーが何かというと、我々人間にとって、プレッシャー、いわゆるプレスというのは英語で圧力でしょう？　そのプレッシャーはある意味で要因、圧力となる要因です。人は、いろんなものがプレッシャーになるわけですよ。

たとえば情報にしてもそう。天気に関しての仕事にある人にとってみれば「今から雨が降るぞ」という情報が「雨降ってもらっちゃ困るな」となる。それがすでにプレッシャー

になるわけです。また違う人にとってみれば、同じ「今から雨が降るぞ」が、「あ、今日はこれで休める」「うわ、ラッキー」ってノープレッシャーになる。一つの情報でもある人にとってはプレッシャーになるけれど、またある人にはまったくプレッシャーにならないということがあるのです。

じゃあそのプレッシャーを感じた人にとって、本当にそれが悪い情報なのか、というとそうではないのです。

実は我々人間というのは向上性、つまり、よりよく生きるっていう脳のプログラムがある。プレッシャーがかかって一旦〝ひずみ〟が出るんですけれども、我々人間の脳っていうのはそのひずみを回復させよう、よりよく生きていこうというプログラムが発達していますから、結局プレッシャーを感じる期間というのはあっても、その期間を越えたときにより強い自分に生まれ変われるわけです。すると今度はまた新たなプレッシャーが来ても、同じような類のプレッシャーなら、いわゆる免疫みたいなものができているから、次の段階において言えば、そのプレッシャー期間に対して耐えられる自分っていうのができてくるんですね。

プレッシャーに勝つ人は、プレッシャーから逃れずにプレッシャー自体をうまく利用しているわけです。たとえば逆境になればなるほど強くなる人はまさにその典型。人が見てると「よっしゃ、ここで一発」とか、「よっしゃ、来い」とね。何か燃えてくる感じの人っていうのは、まさにそのプレッシャーをある意味で自分にひずみを与えるどころか、逆にエネルギーに変えちゃって奮いついていく状態。

だから、プレッシャーは結局マイナスイメージではない。ある意味で自分を高めていくためのエネルギーなんです。

だけど、プレッシャーに潰される人はそういうふうにプレッシャーを感じた時点で、もう自分で「自分は弱い人間なんだ」「ダメなんだ」となってしまう。

たとえば、我々現代の人間はマニュアルに囲まれている。こうなればこうなっていく、こういうふうな形で見ていくという答えがあるのが当たり前になっている。結局マニュアルで育てられた人間というのは、プレッシャーがあるときに「自分はどうしたらいいだろうか。マニュアルがない。どういうふうに対処したらいいのか。どうしようどうしよう……」。答えが出せない状態におちいって、結局その流れでプレッシャーをどんどんはね除けていくようになる。はね除けていく、というかプレッシャーが来ないほうへ向かっていく。結局それはどういうことかというと、どんどんどんどん自分を狭めていっているわけです。

なぜなら、プレッシャーは自分を育ててくれる、伸ばしてくれるものなのに、それを避けるっていうことは無意識に自分を潰しているわけですよ。伸ばさないっていうことですよ。

だからプレッシャーというものは悪いものではなくてエネルギーなんだ。プレッシャーというものをどういうふうにそのエネルギーに変えていくか、というのがすごく大事なことなんです。

土壇場に強くなれない理由

リラックスしているときなら何でもないことが、ここ一番のかんじんなときにできなくなってしまう。よくあることです。たとえば自分の部屋で気軽に弾いている楽器だって、人前で披露するとなったらガチガチに緊張するかもしれない。いつもの友人となら話もはずむのに、大切な会議で話さなければとか、本命の彼女と初デートとなったら、言葉も出ないかもしれない。

大事なときを意識しはじめたときに緊張やプレッシャーを感じる。それはつまり、「今から自分の力を発揮するんだ」という気持ちの副産物（燃料）ともいえます。

緊張はうまく利用すれば普段以上の力を生むエネルギーとなります。トップレベルのスポーツ選手が「緊張を楽しむ」というのはまんざらかっこつけではなく、真実です。

要は緊張の扱い方の問題。

たいていの人は緊張感をコントロールするトレーニングをしていないから、緊張すると自分を失ってしまうかのように思う。本当は自分の力を発揮するための第一ステップなのに、「緊張してはダメだ」「みっともないぞ」と自分の状態を否定するのに忙しくなり、その葛藤からとんでもない状況になってくる。前にも書きましたが、自分を否定しようとすると、潜在意識がそちらに向かって動き出してしまう。だから、自分を否定してはダメなのです。

かつて赤面症に悩んでいた頃の私は、まさにそうでした。

「緊張しているのを見せたくない」「あがってしまったらまずい」「大事なところで恥をかきたくない」「笑われるのは嫌だ」……こういう緊張の仕方は、すべて周囲から見た自分を基準にしています。つまり他人のリズムにはまっているのです。

私はメンタルで「リズム」という言葉をよく使います。リズムとはいってみればノリのようなもの。自分のリズムで物事を進めているときは、人は流れに乗って力を発揮できるが、他人のノリに合わせているときは、本来の能力を発揮できなくなる。

いわゆる土壇場に強い人というのは、あくまでマイペースの緊張の仕方をします。

「自分がこうしたいんだ」と心から思っていることが大事なのです。特にビジネスマンにとっては、会社から命じられた仕事と自分の目標がつながっているかどうかが分かれ目。

この企画を通す、プロジェクトを成功させる、課内で営業のナンバーワンになる、研究を実用化する、海外で仕事をする、いずれ独立して会社をつくる。あるいは資金をためて家を建てるとか、田舎の土地を手に入れて農業をやるとか、ペンションを経営したいということでもいい。具体的な目標であればいいんです。その目標があることによって、我々の潜在能力というのは自然と目標達成するために動き出すのですから。

確固たるものを持っているか持っていないか、というのは、この潜在能力が「自分のリズム」で動いているか動いていないのか、ということなのです。他人のための目標ではなく、自分の目標を達成するために、持っている力をどう発揮していくか、というところに確固たるものがあるのですから。

とにかく大切なことは、「人からどう思われるか」ではなく「自分がどうしたいのか」なのです。

恐れや不安の本当の正体

恐怖心や不安は、というと、どうしても弱い人間の専売特許のように思われていますが、決していけないものではありません。

それは確固たる自信のある人でも持っているもの。むしろ太古から人類が生き延びるために欠かせなかった、大切な能力です。

我々の祖先が狩猟をしながら暮らしていた時代、原野でバッタリ猛禽《もうきん》類に出くわしたとします。そんなときは考える間もなく不安や恐怖でいっぱいになる。その「不安の回路」に刺激されて、即座に「逃げるか、闘うか」の行動をとる。

具体的にいえば、アドレナリンがどっと出て、心臓はドキドキし、血圧が上がって顔は赤くなり、筋肉は緊張し、手足の裏はジットリ汗ばみ、胃腸の働きは抑えられます。ドキドキは血液をさかんに流して激しい運動を可能にするため、筋肉の緊張も瞬発力を出すため、ほどよく手足の裏が汗ばむのは闘ったり走ったりするときすべらないように。つまり、「不安の回路」が発動することで、体はストレス状態に置かれ、ここ一番の力を発揮できるのです。

こんなときにドキドキもなく「さて、どうしようか」などと冷静に考えていたら、たちまち襲われてしまう。不安を感じない人間は生き残れないのです。恐怖や不安を感じる能力は、自分の身を守るために非常に大切なもの。上手に利用すればいいのであって、決して否定すべきものではありません。ましてや「弱虫」と同義語ではないことを知っておいてほしいのです。

火事場の馬鹿力という言葉も、同じような状況を指しています。あっ、火事だ！ その不安と恐怖の中で体にはアドレナリンが駆け巡ります。その緊張状態でとてつもない力を発揮して、頭で意識して考える間もなく、とてつもない脱出劇をやってのけたり煙の中に飛び込んで家族を助け出したりするのです。

ただし、現代の日常ではこんな生命の危機というのはあまりない。日常的な危機といえば、たとえばこんな感じ。

上司にプレッシャーをかけられた。「君ね、今期の成績このままじゃ、ボーナス出ないよ」……当然不安になります。車のローンでもかかっていれば恐怖にも駆られるかもしれない。すると体はどうなるか。「闘うか逃げるか」というストレス状態に置かれます。

では、上司を殴るか？　「こんな会社辞めてしまおう」とスタコラサッサ逃げ出すか？　そんなわけにもいきません。体が感じた緊急事態、つまり「不安の回路」が行動によって解除されないから、ストレスがたまりにたまって胃に穴があいたりする。

かつてバブルの時代にスポーツクラブが流行ったのは、ストレスを運動で解消しようというわけだったのでしょうが、これは根本的な解決にならない。会社に戻れば同じストレスがあるのだから。

不安や恐れを、自分の中でエネルギーに変えていくことができればよいのです。逃げるか闘うかだけでなく、「上司にこれだけ言われたんだから、落ち着いていられないぞ」と、営業に飛び出していくなり、猛然と書類を積み上げて仕事を始めるなり、受話器を取り上げてバンバン電話をかけるなど、目標に向かって行動を起こせばよいのです。

もともと「不安の回路」はここ一番の力を発揮するためにあるもの。現代社会では多くの人がこの「不安の回路」をうまく使いこなせていないだけなのです。

だから、目標を前にした不安を不安がることはないし、失敗するのではという恐れをこわがることはない。不安を感じたときに「大丈夫、大丈夫」と無理やり言い聞かせて不安になっている自分を否定するのではなく、「何が不安なのか」ときちんと意識して、その事態に備えておくほうがよいのです。

目標がはっきりしていないのに恐れるというのは、何の意味もありません。「自分はこうしたいんだ」と思っていないのなら、「そうならなかった」場合を恐れる必要もないのだから。

わけがわからず恐れている気分というのは、非常に落ち着かないものです。こんなときは恐れている自分の状態を否定したくなり、不安が不安を呼び、自分がどうしたいのかますますわからなくなり、不安の堂々巡りになってしまいます。

むしろ恐れの正体を見極めたほうがいい。

恐れが出るというのは、意識していなくても目標がある場合が多いのだから。

「緊張」こそが能力を全開にする

「あがる」ことと「自分の能力を出しきる」ことがイコールだと言ったら信じるでしょうか?

大勢の前で話をする、大切な面談がある、大事な試合だ……。これから何かをするぞ、という目標が明確なときに、人は「あがる」のです。

人間の潜在能力は、目標を明確に認識したときに動き出します。人前に立つとき、あるいは一〇〇メートルを全力疾走するぞというとき、「何かをしなきゃいけない」と自分で認識できたときに、潜在能力の扉は開かれて、「自分の力を発揮するぞ」という潜在意識からの指令が出るのです。そして、体全体がその目標を達成しようという方向に動き出す。持っている能力のすべてをその一つの目標に向かって準備させようとするのです。だから心臓もドキドキし始める。足がガクガク震える。これを「武者震い」と言ってもよいし、気持ちの状態としては「あがっている」ということになるのです。

これをつい、多くの人はマイナスだと思ってしまう。

あがっちゃいけない、あがると話せなくなるぞ、変なことを口走るかもしれないぞ、あがると体が震えて思い通りのバッティングができなくなる、どうしよう、どうしよう……。「これから能力を全開にするよ」というサインを逆のものと勘違いして、「これじゃ力が出せないいんだ」と考えてしまうのです。

ここで面白いことが起きます。もともと「能力を全開にする」ことを目標としていた潜在意識が「力が出せない自分」のほうを目標にしてしまう。心や体の全部が「話せなくなる自分」へ向かって動き出してしまう。だから体が固まり、頭も働かなくなります。

この状態を何度か経験すると、「あがっている」とか「きっとまた失敗する」と決めてかかるようになってしまう。人間の脳は過去の情報をもとに判断するからです。そして「落ち着け、落ち着け、こんなことじゃダメだ」と、自分を否定する。プレッシャーを感じることで潜在能力の扉が開くのに、せっかく開きかけたその扉を必死で閉めにかかるのです。

これはスポーツの世界でもよくある間違い。

特に日本では、メンタル・トレーニングといえばリラクゼーションのことだという誤解があります。うまいぐあいに緊張が高まってきたのを「嫌だな、さあリラックスしよう」とばかり、試合前などにお花畑のイメージなど浮かべたりと余計なことをやってしまう。

トップに立つ人というのは、むしろプレッシャーを楽しんでいます。ここぞというときに緊張が高まってくると、「おお、きたぞ、この感じ、この感じ」と、緊張状態を自分のコントロール下に置くのです。

緊張をコントロール下に置くとは、緊張に振り回されるのではなく、目標に適した緊張状態に自分を持っていくということです。

たとえば、これから企画のプレゼンテーションをするとか、大事な用件で相手を説得する、というときに、だらんと力が抜けてリラックスしていたのでは話にならない。適度にテンションがあがっていてこそ、言葉の勢いや気迫も生まれます。かといって、ボクシングの試合に臨むわけではないのだから、ぶるぶる武者震いしていても始まらない。

どれぐらいの緊張のレベルに持っていけば、この場面にちょうどよいのか。

実は潜在意識がちゃんと知っているのです。

意識と潜在意識を統合させる

メンタル・トレーニングでよくあるもう一つの誤解。それは、「成功するイメージだけを一生懸命思い浮かべていれば、きっとその通りになるのだ」というものです。もしもそればかりやっているとしたら、トレーニングというよりは、おまじないか白昼夢のようになってしまいます。

一生懸命思い浮かべるときの「一生懸命」というのは、意識のなせるわざ。力を十分発揮するには意識でなく潜在意識に働いてもらうことが必要です。

意識と潜在意識などといってもピンとこないかもしれません。例をあげましょう。

プロゴルファーの田中秀道選手は、ゲームのかんじんなときに八〇センチぐらいのパットが入らないことに悩んでいました。練習のときなら何ということなくスンナリ入る。しかし高額の賞金がかかった試合で、三日目、四日目とプレッシャーが増してくると体が動かない。それでメンタル・トレーニングをしたいとやってきたのです。

こんなとき、意識では「入れたい、入れたい」と思っています。しかし潜在意識ではどうか。「これをはずしたら何百万の損だぞ」「入らなかったらどうするんだ」と不安の素を意識に伝え、意識の中で葛藤させる。そのため潜在意識まで目標の情報が正確に伝わらず、「入れる」ための能力が発揮できない。打つことだけに集中できればいいのに、不安に対しての、なんとかして「入れたい」という欲が、さらに潜在意識に正確な情報を伝えにくくする。

人間が、潜在能力を発揮するということは、意識と潜在意識とが統合されていなければいけないのです。

「自分はこうしたい」「こうなりたいんだ」とイメージすることは意識のレベル。意識だけなら「~したい」だけで終わってしまうから、〝目標〟もただの〝欲〟と同じこと。

しかし、意識と潜在意識が統合されていると、「俺はいついつまでにこうなりたい」という目標が、意識によってイメージ化され、それがスッと潜在意識に入っていく。そして、潜在意識の中で集中力、イメージを達成していき、目標達成するためにどういうふうに動いていくのがベストか体に伝えていくのです。

ところが、ひとたびおかしくなると意識と潜在意識が相反する状態になります。そんなときに意識で「こうしたい、こうなりたい」と思えば思うほど、潜在意識はその裏返しで「できなかったらどうする。なれなかったらどうする」という方向に動き出し、否定的になるイメージばかりが勝ってしまうのです。潜在意識のイメージは強力だから、体はそっちのほうへ引っ張られてしまう。彼はトレーニングを通じてそのことに気づきました。逆をやればいいのだと。

入れるという目的を潜在意識にしっかり植えつけたら、あとは体の動きにまかせて余計なことは忘れるのです。入れよう入れようと思わない。むしろ意識の上では、もし入らなかったときどう態勢を立て直すか、マイナスの事態に備えて対処を考えるぐらいでいい。

そのコツをメンタル・トレーニングでつかんでから、彼は稼げないプロ生活に別れを告げて、一気にトップに躍り出たのです。

なぜいつも同じような失敗をしてしまうのか

たとえば、好きな人の前ではいつも話せなくなってしまう。

それは自分の中に「いいと思う人に会うと私は話せない」という過去の情報があるわけです。そうすると、初めて会った瞬間に、その過去の情報をもとに「話せない自分」という失敗例を演じてしまうのです。

「どうしてうまく話せないんだろう」「どうして、あんなことをやってしまうんだろう」と、嫌がっている。「あれは本当の自分じゃない！」と自分を否定しているのです。だけど、潜在意識の情報で動いているのだから、実際のところ、それは本当の自分なのです。

本当の自分を否定しているから、自分が出せない、ということ。

「こういうときにこうなる」という潜在意識のルートはできているのだから、それを、いまあるマイナスの情報から、「本当はこうなる」という成功のイメージ、つまりプラスの情報にしてしまえばいい。そうすると失敗は成功のもと、という言葉が生かされてくるのです。でも、もったいないことに、たいていの人は失敗を利用していません。

もともと人間というのは失敗するようにできているのです。失敗して成功していく動物なのです。失敗を恐れずに、現場で失敗しないために練習で失敗しなさい。これから人と会う。いつもだと自分ではこういうふうに失敗するとイメージをする。失敗っていうのは頭の中でイメージしやすいから、会う前に失敗したイメージをしておく。でも本当はここでルートを作ってしまうんです。イメージというのは実体験と同じ情報としてインプットされますからイメージからルートが作れます。ルートができたならそこで、今までの失敗のイメージを「でもここは本当は私はこういうふうに対処するんだよ」って成功のイメージをくっつけてしまう。このイメージのルートができて、初めて会ってもこういうふうにできる自分っていうのができてくるのです。

ここで、もう少し話を進めましょう。実は自分自身の中に「失敗」はありません。失敗というのは他人の目があるときに初めて出てくる言葉です。何のことかわからない？

あなたが一人で使ったお金と自分のサイフの残金の計算をしているとする。数字が合わなければやり直すまでのことで「失敗した！　どうしよう」とは思わないでしょう。

ところが、隣に誰かがいて「その計算、違ってるじゃないか」と指摘されたり、計算違いで誰かに迷惑をかけたりすると、失敗ということになる。

隣のヤツはすらすら答えが出たのに自分はダメ。すると、「負けた」ということになる。

メンタル・トレーニングでは、周囲からどう思われるか、周囲と比べてどうか、ということは問題にしません。大切なのはあくまで自分。だから自分の中に「失敗」は存在せず、あるのは「成功までのプロセス」のみです。生まれたときから何でもできる人などいないのだから、何であれ「できない」状態を通ってできるようになるのです。

「うまくいかなかった」経験の中には、「うまくいく」ためのヒントがつまっています。「こうやったらうまくいかなかった。どうすればうまくいくか」と考えることで、次に進める。人はそうやって進歩していくのです。

それなのに「失敗を繰り返す」のはなぜか？　それは「他人の目から見た失敗」にとらわれているから。甲子園やオリンピックなどの晴れ舞台に登場した選手も、この壁を体験します。子どもの頃は好きでやっていたのに、観衆や世間の目を意識するようになる。

「失敗したらどうしよう」という思いに圧倒されてしまう。

うまくいかなかったことを否定したり、隠そう、忘れようと意識すればするほど、「失敗」は潜在意識に深く刻まれて、「すぐに失敗する自分」がつくられてしまうのです。

日本のスポーツは、練習のときから「ミスをしないように」という方向ばかりやる傾向があります。成功率を高めることばかりに目がいってしまっているのです。だから本番で予想外のミスをしてしまったときに、どうにも対処できない。すぐれた選手は練習中に「こうやるとうまくいかないな」「この動きをするとまずいな」とあれこれミスを体験し、「こういうミスをしたときはどうするか」という対策パターンをいくつもつくっているのです。それは頭で考えた理屈ではなく、自分の体で覚えたことなので、強いのです。

ミスや失敗を重ねておくほど、自分なりの対処法もたくさんできてくる。生き方も同じこと。「こうやったらうまくいかなかった」という体験をたくさん持っている人ほど、成功への知恵が豊富に蓄えられていることになるのです。「失敗」を隠したり忘れようとすると、貴重な知恵を眠らせておくことになる。自分の持っているせっかくの体験なのだから、次のチャレンジのために生かせばよいのです。

クヨクヨしてしまう打たれ弱さ、ハネ返す打たれ強さ

「どうしてあんなバカなことしたんだろう」「あそこでしくじるなんて、最低だよ」「俺ってヤツはつくづく情けない」「あーあ、こうすればよかったのに」……あれこれ後悔したり反省したり、ガツンと言われて立ち直れなくなってしまったり、人間だから当然あることです。

あなたが過去にやってしまったことでクヨクヨしているからといって、「打たれ弱い人間だ」「こんなことじゃ一生負け犬だ」などと決めつけることはありません。誰にだってクヨクヨしたくなるときはあります。

しかし、過去にとらわれている状態は苦しいもの。将来の目標に向けてエネルギーを使うことができなくなり、過去に気持ちがいってしまう。だから現在がうまくいくはずがない。たとえば同じ寝不足でも、将来の計画に夢中になって眠れないのと、過去を悔いるあ

まり眠れないのとでは、気分は雲泥の差です。

なぜ過ぎたことをクヨクヨしてしまうのか？　大失敗にくじけない人、打たれてもハネ返すパワーを持った人とどこが違うのか？

それは、過去を認めていないからです。

「あいつに負けるなんてこと、あっていいわけがない」「あんなことでミスするなんて、信じられない」「迷惑かけるつもりはなかったんだ」「うまくいくはずだったのに」「運が悪かっただけだ」「早く忘れよう」「気にしない、気にしない」

つまり、競争とか、周りがあることで「失敗」と思いこんでしまっている。

それは何かというと、他人のリズムにはまってしまっているということ。私はメンタル・トレーニングで「リズム」という言葉をよく使うのですが、本当の力を発揮できるのは「自分のリズム」でいるとき。

だからたとえば、スポーツの世界でも「強い人」はわがままだったり、図々しかったりする。「お先にどうぞ」的な〝いい人〟では生きていけない部分がある。チームプレイの中でも、自分のミスを「あ、あれはピッチャーのせい」と頭を切り換えて、自分のプレイに集中する。「やってしまった……。みんなに迷惑をかける」と引きずっていると、ミスがミスを呼ぶということにもなりかねない。

これは「打たれ弱さ」と「打たれ強さ」にも通じます。

もちろん「俺が、俺が」というのだけでは人間関係においては問題があるから、周りを判断する目を持っていなくてはいけないのですが、自分の力を発揮する、ということを考えると、自分のリズムに徹するのが一番早い。

楽になるためには、自分の失敗を認めてやることです。

うまくいかなかった。自分の行動のどこがまずかったのか？　手順のどこでミスをしたのか？　では、次にはどうすればよいのか？　今すべきことは何か？　もしも誰かに迷惑をかけたなら、その事実を認めるとはすなわち「相手に心から謝る」こと。ありのまま認めることで、苦しさから解放され、次の一歩に向けてのエネルギーが生まれてくる。打たれ弱さ克服の第一歩でもあるのです。

あなたは自分の力を出していないだけ

物事にどんなふうに向き合うかは、何といっても子ども時代の環境が大きく左右します。子どもは、周囲の大人のやっていることをしっかり見て学びとっていきます。

親をはじめ、頼りにしている大人が、プレッシャーから逃げているかプレッシャーを糧《かて》としているか。「失敗」から学んでいるか「失敗」を否定しているか。弱点を認めているか必死に隠そうとしているか。自分らしく生きているか自分を押し殺しているか……そのやり方を学んで身につけていくのです。

育てられ方も、もちろん大きい。小さい頃から「あぶないから、これをしちゃダメ」「あれをしちゃダメ」「こういうふうにやらなきゃいけません」とマニュアルばかり叩きこまれると、マニュアルにない事態を「工夫して切り抜ける」体験ができません。

たとえば熱い飲み物を入れたカップがテーブルの上にあるとする。子どもが「何かな？」と手を伸ばそうとしたとたん、「あっ、熱いからダメ！」とストップがかかる。触ったらどんな感じなのか、何が入っているのか、どんな味なのか、そんな好奇心もストップさせられて、ただ「これは熱いモノ」「触ると叱られる」という知識で終わり。やけどはしないですむけれど、自分で「あっ、熱い！」と手をひっこめたり、「こうやって持てば熱くない」と工夫してみるチャンスを逃してしまいます。これでは応用がきかない。

だから今の若い者は……などとお説教を始めるつもりはありません。この私も、企業の重役などに初めてお会いするたび、「えっ、こんなに若い人なの？」とけげんな顔をされることがしばしば。相手の方は、メンタル・トレーナーというと白衣の似合う、カリスマ的な風貌をした紳士を期待しているようなのですが、あいにく私は貫禄もないしカリスマ的でもありません。

脱線しました。話を戻しましょう。

子どもの頃から「失敗しないように」と安全なレールを敷かれて、「失敗しないためのマニュアル」ばかり賢くこなしていたら、「失敗から学ぶ」という経験ができません。何が起こるかわからない今の社会に出て、うろたえてしまうのもしかたない。

逆に、「どうしておまえはできないんだ！」と怒られ、押しつけられた目標をクリアできずに責めたてられていたら、「自分らしくやれた」という充実感を味わうヒマがありません。周囲と自分を比べては落ちこむくせがついてしまうのも当然。

ここまで読んで、自分はひどい目にあったんだと親や先生を恨むのは早とちりというものです。だいたい今の学校教育では、「失敗を知らない子ども」か、「失敗ばかりの子ども」か、どちらかが育つしくみになっているのですから。

大切なのは、力はもともと誰でも持っているのだということ。

「自分はここ一番の集中力がない」と悩んでいたゴルフの田中秀道プロも、ちょっとしたトレーニングで抜群の集中力を発揮しました。集中力がないのではなく、出し方を知らなかったのです。

知らなかったコツは、いくらでも覚えればいい。子ども時代の経験でうまく出せなくなっている力は、大人になってからトレーニングして出すことができます。何歳になっても新しいやりかたを始めるのに「遅すぎる」ということはありません。

あなたが持っている潜在的な力は、いわば無限大といってもいいのです。

「自分のリズム」で生きよ

何を性格と呼ぶのか、考え方はいろいろですが、「いくつになっても変わらないのが性格」だとすれば、それはたぶん変わらないのでしょう。

とはいっても、「強い性格」と「弱い性格」、「明るい性格」と「暗い性格」なんていう話ではありません。いってみれば、その人本来が持って生まれたリズム、とでもいうべきものです。

あなたは、どんなときに充実感を感じますか？　ここしばらくのことを振り返ってみて、自分が生き生きと輝いていた気がする日を思い出してみてください。どんなとき、どんな雰囲気の場所で、何をしているときだったでしょう？

たとえば、ガンガン仕事をこなしているとき。誰かを相手に丁々発止と渡り合っているとき。じっくりと何かを組み立てたり、問題に取り組んでいるとき。困っている人の役に立っているとき。大自然の中で思い切り深呼吸しているとき。料理や音楽や書物や美術品など「本当にいいもの」を味わっているとき。緊迫感の中で自分の限界にチャレンジしているとき……まだまだいろいろあるでしょう。なんなら、子ども時代までさかのぼって考えてみてもいい。

充実感のもとを探っていくと、自分自身のリズムで生きていたことがわかるはずです。人それぞれ、自分に合ったリズムを持っているのです。かっとばすようなリズムが楽しい人もいるし、穏やかなリズムで生きるのが合っている人もいる。荘重なリズムを刻む人もいれば、軽快なリズムで動き回る人もいます。

自分らしさ、それが性格なのです。自分のリズムがつかめたら、それを最大限に生かせる環境を自分のまわりにつくることを将来の目標のひとつにすればいい。

活気に満ちた都会か、ゆったり時間が流れる田園か、潮の香りただよう町か。どんな人たちとどんな関係をつくって、何をして暮らしていきたいのか。

それぞれの人が自分らしいリズムで生きながら、周囲の人と美しいハーモニーを奏でること、これこそがメンタル・トレーニングの究極の目的といってもよいかもしれません。

他人を拒絶する人、他人に侵略される人

自分のリズムを知るというのは、成功の絶対条件です。それは「自分らしさ」がわかっているということ。

別の言葉で言えば、実際以上に大きく見せなければと無理を重ねる必要もなく、自分を卑下して縮こまることもなく、「等身大の自分」で生きられるということです。

自分がつかめないと、他人を受け入れなかったり、受け入れすぎたりします。

他人を受け入れないのはなぜかというと、「自分の中身は貧弱なのではないか」「本当の自分を見られてはマズイのでは」という恐れがあるからです。

他人に踏みこまれたくない。だからアドバイスには耳をふさぎ、他人のやり方から学ぼうとしない。改善すべき点を指摘されると、ついカッとなったり、逆上したり、言い訳を延々と並べたり、「俺のことを嫌っている」と思いこんだりする。こうやって壁をつくっ

て、他人というプレッシャーから自分を守ろうとしているのです。

かといって、受け入れすぎてしまうのも、やはり自分がつかめず不安だから。目標を前にした不安と違って、何を望んでいるのかわからない不安です。だから信じるものを見つけるとすがりつく。「自分は誰で、どう生きるべきか」を、誰か他の人に決めてもらおうとするのです。信じるものが見つからないと、周囲の人の言うことにいちいち振り回される。「あの人はこう言う、この人はああ言う、いったいどうしたらいいんだ!」ということになってしまうのです。そして、ノーが言えない。いつも無理を押しつけられ、周囲の犠牲になってしまう。

これを読んでギクリとしたあなたは、「こんな自分じゃダメなんだ」と頭をかかえないこと。私の言うことを何から何まで受け入れる必要はありません。かといって「余計なことを言うな。うるさい!」と耳をふさぐのでは、せっかく読んでいる意味がない。

役に立ちそうだと感じたところを「なるほど、その通りだな」と認めて、自分に生かせばよいのです。「この技術は盗もう。こっちは自分には合わない」という判断も、「自分らしさ」を出していくためのトレーニングです。

自分を笑える人間は、強い

あなたは自分を笑うことができますか？　それともコチコチのきまじめ人間？

まじめなのは大切な資質です。「まあいいさ、アッハッハ」と適当に流さず、とことん落ちこんだり真剣に悩むからこそ、問題から抜け出す答えも見つかる。落ちこみは次のジャンプのために身をかがめた、いわば屈伸の状態なのです。

どんな世界でも一流になる人は、たとえ豪放磊落なポーズを見せているタレントでも、それは周囲を自分のリズムに乗せるための演出。成功する人の多くが、内面はきまじめで考えこみやすく、どちらかといえば「小心者」なのです。

ただし、きまじめ人間に都合の悪い点が一つあるとすれば、それは完璧主義におちいりやすいこと。自分のミスが許せなくなるのです。

たとえばプロゴルファーの場合、完璧主義におちいるとこんなことが起こる。試合の初日、アイアンとパターはまずまずだったがドライバーの調子が悪かったとします。それが気になって、試合が終わるとドライバーばかり練習する。その間ずっと悪いリズムにひたっているわけです。翌日、練習の成果でドライバーはそれなりに戻ったとしても、今度はアイアンがおかしくなる。するとその日の練習は、アイアンを徹底的にやる。三日目、アイアンはそこそこになるがパターがふるわない。

いい点を見ないで悪い点ばかり過剰に意識してしまうから、リズムを崩してしまうのです。必死で努力している割に鳴かず飛ばずで、大した結果が出ない。

こんなドツボにはまったときは、まず「今日よくやった点」を数え上げる。自分に厳しい人はこれがなかなか思いつかないので、昨日でも一週間前でもいいから、よかった点を五個でも一〇個でも、なるべくたくさんあげます。「よくやったぞ」と自分をほめることで、よいリズムを胸に刻む。それから、「改善したい点」をあげるのです。ただし具体的な改善策が浮かぶ場合のみ。項目は一つで十分です。

考えすぎて動けなくなったときや、一つのことしか見えなくなって余裕を失ったときなど、たまには自分を笑ってみるのも手です。笑うことによって問題の渦中から抜け出し、客観的な距離が取れるからです。

ただアハハと笑ってもむなしいので、アナウンサーになって実況中継します。

「悩んでおります。ドツボにはまっております。おおっ、ようやく次の動きに出るのでしょうか。いやいや、引き返してまた頭をかかえております。これはもう、とことん悩みぬくしかないようです。飯抜きで悩むようです。これは飯代の節約になります」

「焦っております、焦っております。時計を見てはイライラしております。A君のミスの尻拭いでまたもやサービス残業です。しかもタクシー代は出ません。終電に間に合うのでしょうか。A君のポカは毎度のことですが、今回は相当キテます。ああっ、机に足をぶつけました。かなり腹立たしい痛みを味わっている様子であります」

だまされたと思って、一度やってみてください。不思議と気持ちの切り換えができ、自分のリズムを取り戻すことができます。

ただし、人前で声を出してやると非常に物議をかもすので、くれぐれもご注意を。心の中で実況中継を放送するだけでも十分効果ありです。

2

しばられていた心を今、解き放とう

過去の〝失敗〟という傷と、どうつきあうか

新しい自分を見つけるために、古い自分にけりをつけよう。

あなたは今まで、何にしばられてきたでしょうか。

うまくいかなかった後悔？　誰かにおまえはダメだと決めつけられたこと？　自分をあざ笑ったり否定する他人の視線？　苦手意識？　落ちこみや悪い予感？

重苦しい鎖につながれた状態から自分の心を解放する方法、それも意外とかんたんな方法があるのです。

「過去の失敗」嫌なことを忘れてしまいたい

「もうすんだことだ、忘れよう」

必死で心に言い聞かせるのに忘れられない、何かのきっかけがあるたび過去の失敗がよみがえってしまう……そんなことはありませんか？

失敗したことで何とも言えない嫌な気分になったり、過去の失敗がいつまでも自分をしばってしまうのは実を言うと「失敗したこと」を認めていないから。

「忘れよう」と繰り返しつぶやくのは忘れられないからだし、「気にしない、気にしない」とわざわざ自分に言うのも気になっているからに他なりません。気になっているのを認めないで、忘れるんだ、気にしないようにしよう、と無理に意識すると、失敗のイメージをよけい潜在意識に深く刻み込んでしまうのです。

潜在意識に刻まれたイメージは、まさに無意識のうちに人の行動を左右します。1章でも触れましたが、似たような場面で似たような「失敗」を繰り返すことになる。

たとえば「女性とうまくつきあえない」という男性は、過去に女性との関係で何か手ひどい「失敗」を体験しています。小学校のとき、好きな女の子の前でとんでもない恥をかいたのかもしれない。すると、次に似たような状況で女の子と向かい合ったとき「また恥をかくのでは？」「笑われるのでは？」という不安がよみがえってコチコチになり、自分らしく振る舞えない。そしてまた笑われる。思春期になって好きな人ができても「たぶん嫌われる」「バカにされるのでは」と思い、自分が出せない。そうやって失敗体験を繰り返すうちに、「女性とうまく話ができない自分」「いつもフラれる自分」という苦手意識ができあがっていく。

同じように「人前で話すのが苦手だ」と思っている人は、その思いこみのもとになる失敗体験を持っているはず。たとえば先生に指されて答えられずパニックになったとか、学芸会でセリフを忘れてしまったとか……。

過去の失敗から解放されたいなら、その過去の自分をきちんと認めてあげること。静かな落ち着ける場所で、ゆっくり思い出してみましょう。

どんなことがあったのか。そのときの自分は何を感じたか。悲しかった、恥かしかった、そこから逃げ出したかった、自分に腹が立った、相手に恨みを感じた……。事実も、感情もいっさい否定せずに、認めるのです。「そんなことでクヨクヨするなんて、それだからダメなんだ」などと自分を否定しない。泣きたかったら泣く。悔しくて腹が立ってたまらないなら、枕をたたいてみてもいい。

潜在意識に埋もれていたものをきちんと取り出すことで、過去の自分も本当の自分、今の自分も本当の自分ということを潜在意識に納得させることができます。

過去の自分と今の自分をつなげた上で、失敗はなぜ起こったか、本当はどうしたかったのか、「できなかった自分」から「できる自分」になるためには何が必要か、考えることができるのです。

嫌なことは忘れるのではなく、むしろきちんと事実を認め、失敗した自分を否定しない。そのことで初めて、「失敗を生かす」ことができるのです。

強烈な失敗の記憶を、成功のイメージに置き換えることも可能です。3章でイメージトレーニングを紹介しましょう。

他人にどう見られているか、気になってしかたない

「自分は自分だ、他人は関係ない」といくら思っても、どうしても人と比べてしまう。他人の視線や、他人の評価が気になる。

これは仕方のないことです。私たちは子どもの頃からずっと、比べられ、評価されてきたのだから。「お兄ちゃんはできるのに、あなたはどうしてできないの！」「妹はしっかりしてるけど、この子ったら、いつまでたってもぼんやりで」……そんなことを言われた記憶はありませんか？　あるいは親戚の子と比べられたり、「○○ちゃんができるのに、あなたができないわけないでしょ」と競争を押しつけられたりしませんでしたか？

どの人もこうやって育っているから、大人になってもついつい自分と他人を比べる。そんなクセがついているのです。

もちろん、他人の目がまったく気にならないとしたら、他人の気持ちも他人の存在も気

にならないということになり、誰かを平気でふみにじりかねません。私たちは一人で生きているだけでなく、他人の中でも生きているのですから。

　他人の目に映る自分が気になるから、自分のイヤな部分は隠したい、他人の期待に応える自分でいたい。そう思うのは自然なことです。

　私も学生時代、何しろ赤面症ですから、すぐに赤くなってしまう自分を人に見られたくなかった。だから、わざと人のいない道を通ったりしました。そんなことをする自分がイヤで、友達といるときはそんな自分を隠そうと、わざとふざけたりもしてみた。しかしそれはウソの自分です。本当は話したくもない、放っておいてほしいわけだから。それでもみんなに受け入れてもらわなければと、必死で別の自分を演じていました。すると「あいつはおもしろいことやるから、飲み会に呼べ」などと声がかかるようになる。本当は断りたい。一人で静かに部屋にいたほうが気楽でいいのです。でも断れない。一生懸命みんなの前でバカをやる。そのあと家に帰って一人になると、猛烈な自己嫌悪におちいりました。「なんであんなことをやってしまったんだ。これは本当の自分じゃない」……ますます自分が嫌いになる。こんなことでは、そのうち自殺するしかないと思うぐらい、追いつめられたこともありました。

他人の目を気にして自分を演じるというのは、それぐらい大変なことです。そしていくら必死で努力しても、結局は何も得にならず、自分が苦しくなるばかり。

私が心理学の本などを読み始めたのは、その苦しさの中ででした。

勉強してまず気づいたのは、「自分の状態を素直に受け入れる」ことで、今まで苦しかったことが苦にならなくなっている、ということです。人からどう思われるかじゃない。人と比べてどうかでもない。「自分は今こういう状態だ」ということをまず認める。その上で、「自分はどうしたいのか」を考える。それがコツだったのです。

他人の前で別の自分を演出する、ということも、ときには役に立ちます。ただしそれは、「本当の自分」の姿をきちんと受け入れていてこそ。その上で、あくまで他人のためではなく、自分のために演じることが条件です。

たとえば「本当はビクビクしてるけど、相手に足元を見られると危ないから、ここは演技力を発揮して堂々と構えたふりをしておこう」といった場合。「人が見ているのにビクビクしてちゃダメじゃないか！」と自分を叱る必要はないのです。

あいつには負けたくないのに！

誰かに負けるというのは悔しい。負けず嫌いの人は、その悔しさをバネにして成功を勝ち取ったりします。しかし危険なのは、競争に負けたことで「自分はあいつに劣っている」「自分には能力がない」と思いこんでしまうこと。

人との優劣ばかりが意識にあると、「劣っている点」が次々気になります。周囲より劣っているのではと気にしていると、ちょっとした言葉や行動にも「非難された」と逆上したり、「自分はダメだと言われた」と落ちこんだりして、よけいな苦労をする羽目になります。相手が好意で言ってくれたことでも、攻撃されたかのように構えてしまうなど、被害妄想にもなりかねない。

もしも、この社会で成功するということが「人を蹴落として競争に勝ち抜く」ことだとしたら、ほんの一握りの勝者と、圧倒的な数の敗者しか残らないことになります。そうやって得た勝利が、果たして幸福でしょうか？

大切なことは、競争に勝つかどうかではなく、自分のやりたいことが実現できるかどうかなのです。

実現のためにこの勝負に勝つことが必要なら、全力を尽くす。もしも負けたならその負けを認めて、次にどうやって勝つかを考える。けれどそれは相手よりも優位に立つためではなく、あくまであなたの目標に近づくためなのです。

メンタル・トレーニングの目的は、人を出し抜いたり蹴落とすことではありません。そもそもこういう目的のもとでは、潜在意識は動かず、本来の力は発揮できないのです。

なぜかというと、潜在意識は本来、「より自分らしく生きたい」という方向とともに、「人とつながりを持ちたい」という方向で働くから。人間は、一人では生きられません。他人とのつながりの中で生きていく社会的動物なのです。だからいわば本能のように、「周囲を幸せにしたい」という感情を持っている。

そして、周囲を幸福にする手段とは、あなたがもっとも自分らしく自分を生かして、力を発揮することなのです。

誹謗・中傷されるのは嫌われているから?

誰かに陰口を言われている。中傷されたり、いじわるをされた。すると、「いやなヤツだな」と思うだけでなく「嫌われている」と不安になるもの。

実はこういうとき、あなたの不安以上に相手のほうがむしろ不安を持っているのです。

このままだとあなたに負けてしまう、自分の居場所が危うくなる、あなたが妬ましい、あなたの存在が自分の劣等感をどこか刺激する……。つまり相手には余裕がなく、自分があなたに劣っているのではないかという不安があるのです。そのために、何とか優位に立とうとして、あなたを攻撃する。

つまり裏を返せば、あなたをそれだけ認めているということ。あなたを恐れているということです。

だから、あなたが相手を恐れる必要はありません。相手に勝とうとして仕返しをする必要もない。大切なことは「どちらが勝つか」ではなく「あなたがやりたいことが実現できるか」です。その実現のために相手の中傷やいじわるが邪魔になるのなら、ストップさせる。

では、いじわるをストップさせる具体的な手段は?

それは正々堂々、相手に「やめてほしい」と言うことです。抽象的に「いじわるをしないでください」というのでは効果がない。「あなたはいじわるだ」と相手を決めつけたり責めるのも逆効果。「こういう事実があったが、そのことで自分はこんな迷惑をこうむった。そしてこんな気持ちになった。今後、このようなことはしないでほしい」と、なるべく具体的に中身を特定して、気持ちをこめて要求するのです。一対一で向き合うか、他の人がいる前で話すか、それは状況で判断します。一度、誰かに相手役を頼んで予行演習をするのもよいでしょう。

こうやって向き合うときにも、「相手に負けない」ことが目的ではなく「相手の行動をやめさせる」ことが目的だということを忘れずに。「負けないぞ」「相手よりも優位に立っていることを示すぞ」などとよけいなことを考えると、かえってガチガチになって相手にのまれたり、相手を攻撃して状況を悪化させてしまいます。緊張して語尾が震えようと、つっかえながら話そうと、かまわないのです。「これを伝えたい」ということさえ自分の中ではっきりしていれば、相手は動きます。

ところでもし相手に嫌われているとしたら？　愉快ではありませんが、大勢《たいせい》に影響はありません。「すべての人に好きになってもらう」のは不可能です。もし、その相手があなたの結婚したい人だ、というのなら大問題ですが、たとえば仕事の同僚があなたを嫌っていたとしても、仕事に支障がなければ実際上なんということはない。「嫌っているためにいやがらせをする」「横を向いてしまって仕事の話もろくにできない」というのであれば、その行動をやめてもらえばよいのです。好きになってもらわなくても、別にあなたは困らないではありませんか。

「自分のことを嫌っているのでは」と感じる人に自分を好きになってもらおうと努力するのは、あなたを嫌うようなタイプの人のリズムに無理やり合わせる、ということになります。あなた自身の力が出せなくなり、こんなに損なことはありません。あなたが損をしてまで、相手の気分をよくしてあげる義理はないのです。

「仕事のプレッシャー」から逃げ出したい

仕事を前にしてプレッシャーを感じるというのは、責任感が強いからです。そして、目標が明確になっているということ。

「今週中に、これを仕上げなければ。そうしないと次に差し支えるぞ」「今月はここまでの数字を達成しないと困る」「この交渉は絶対に成立させないと」……そうやって目標が明確になったとき、いわば潜在能力のゲートが開いたことによる副産物として、プレッシャーを感じるのです。

しかし、自分にできるだろうか？　うまくいかなかったらどうする？　みんなにも迷惑をかけてしまう。以前にもこういうかんじんなときにミスをしたんじゃなかったっけ？

そんなことを考えているうちに、逃げ出したくなります。私もよくこういう状態を経験します。一番よくあるのは、講演のとき。講演を頼まれるたび、大勢の人の前で話さなければならないということにプレッシャーを感じて、逃げたくなるのです。

目標が明確なのはいいことですが、目標ばかりにとらわれすぎると、「できなかったらどうしよう」と不安ばかりがつのります。なかなか動けなくなり、不安とプレッシャーの中で時間ばかりが過ぎていく。

まず目標を頭にしっかりインプットしたら、次に大切なのは「今、自分は何をするか」です。プレッシャーを感じたというのはすでに目標は定まっているのです。私の場合なら、何をテーマにどんなエピソードを使って話すのか、メモを書き始める。その行動で、目標に一歩近づきます。

営業のノルマがプレッシャーになっているのなら、電話でアポをとるなり、営業に出かけるなり、行動を起こす。会議で発言しなければならないことが心の負担になっているなら、そのための資料を集めたり、関係する人に話を聞く。たまった書類で気が重いなら、とにかくワープロを打ち始める。

「目標のために、今何をするか」といつも自分に聞いてみることで、プレッシャーを目標達成のエネルギーに変えることができるのです。

嫌な予感・悪い予感はたいてい当たる

取引先の部長と会うはずだった上司が、「君、代わりに行ってくれないか。急に別件が入ったから」と言ってきました。「ちょうどいい機会だし、顔を見せておけ」と軽く肩をたたかれたものの、そんな急に言われたって……何だか嫌な予感がする……。難しい相手なんじゃないかな。ヒラの自分が出ていったら、バカにされるんじゃないだろうか。

そんなことばかりが頭に浮かんできます。約束の時間まで、ずっと気が重い。案の定、会ってみても話はかみあわず、ついつい下を向いてしまい、さんざんだった。「なんだ、こいつは」と思われたに違いない。ああ、やっぱり悪い予感は当たった。

こうなると、勘の鋭いのも困りもの。悪い予感というのは、実際によく当たるのです。

たとえばゴルフでこんなことがあります。ティーグラウンドに立った瞬間、目の前の池が気になる。あの池に入れてしまうのでは？　何か嫌な予感がする。前にもこういうとき、池に入ってしまった。そんな過去の記憶がよみがえる。「イヤだな、イヤだな」と逃げ腰になり、「ダメだ、こんな予感にとらわれてはいけない」と自分を叱り、その葛藤の中でボールを打つ。すると不思議なことに、ボールは吸い寄せられるかのように池にドボン！どちらも、過去の情報がいたずらして「自分は急なことに対処できないんだ」とか「池があるとダメなんだ」といった苦手意識が生まれている。それが「悪い予感」になります。

では、こんな予感は無視すればいいのでしょうか?

そうではないのです。予感というのは、潜在意識が「今のリズムのままで行くと、まずいことになるぞ」と過去の情報をもとに知らせてくれている。最初の例で言えば、「急な事態にうろたえていたら、前にも失敗したじゃないか。今度は別の対処をしたほうがいいぞ」と注意信号を送ってくれているのです。つまり、状況に流されていないで一度立ち止まって自分の調子を立て直したほうがいいというサイン。

だから悪い予感に襲われたら、それを否定しないことです。悪い予感がよぎったときこそ、悪いリズムにはまりかけた状態を変えるためのチャンスなのだから。「気にするな」ではなく「教えてくれてありがとう」と心でつぶやくといい。何を教えてくれているのかといえば、目標のためにどうすればいいかもう一度考えろということです。

そこで、深呼吸して目標を再確認します。一呼吸して間を置くことで、乱れたリズムを整え、自分本来のリズムに切り換えることもできる。

そしてゴルフの例なら、「ここにボールを落とすんだ」と目標を明確にイメージして、そこに向けて打つことに心を集中する。

仕事の例なら、取引先の部長と何のために会うのか、その目標が問題。何を打ち合わせるのか、こちらの事情を説明するのか、相手の事情を探るのか？　単に顔つなぎのあいさつなのか？　目標がはっきりしたら、そのために今何をすることが必要かを考えます。

これまでにどんな経緯があったのか上司に詳しく聞く。取引先に関する資料を探す。相手に渡す資料を作っておく。話すポイントをメモにまとめる。相手がどんな人か、会ったことのある同僚に聞く。相手がこう出たら自分はどうしたらよいか、情報をもとに対策を練っておく……やることは、いくらでも考えられます。

悪い予感がしたら、「教えてくれてありがとう」、これがコツ。感謝の言葉で一呼吸おき、目標をもう一度確認し、リズムを修正して事に臨めばよいのです。

自信がない……そんな自分が嫌い

プレッシャーは生かせるのだ、と言われても、「自分にそんなことできるかな?」「たぶん無理だろうな」と感じてしまう。

先の不安にとらわれずに今やるべきことをやればいい、とわかっても、やはり足がすくんでしまう。

……こうなると、「自分はとことん打たれ弱いんだ」「こんな自分はやっぱりダメなんじゃないかな」という気分になってきます。

そう感じるとしたら、それでもいい。まず、自分に対してマイナスのイメージを持っているところから、スタートすればいいのですから。ここが自分のスタートラインなんだと開き直って認めてしまうのです。

いっそのこと自分のマイナス要因を、全部書き出してみるのはどうでしょう。「ダメな自分」だと思うなら、一体どこがどんなふうにダメなのか？　「○○できない自分」なら、どうしてできないのか？

見たくないと思っている自分を、すべて目の前に出してみるのです。見たくない部分を否定したり、そこから逃げようとするから、何も変わらない。そんなにダメな自分だと思うなら、どれほどダメかきちんと調べてみればいいのです。

自分をいったんストンと底まで落としてみることは、開き直りにつながります。開き直りというのは、なげやりになることや、あきらめとは違う。「これ以下には落ちようがない」という地点を確かめることで、スイッチを切り換えることができるのです。

次に、それなら自分はどうなりたいのか、何をしたいのか、書き出してみてください。「○○できない」と考えていたなら、「○○できるようになる」ことを願っているはずです。マイナスと思ったものが、プラスの課題や目標に変わります。自分にすべて満足しているなら、これ以上変えようがありませんが、満足できないから次に進めるのです。

自信がない？

では「自信」とは何でしょう。

「自分はこれができる」「あれができる」ということだけが自信なのではありません。自分のことをどれだけ信じられるか、それが自信なのです。みずからを信じるということは、「自分は完璧だ」と思うことではありません。完璧な人間などいないのだから、そんなものは自信ではなく無茶な幻想に過ぎないのです。自分は何があっても大丈夫なぐらい強い、というのも、危ない自信過剰。

本当の自信とは、「自分は何ができて、何ができないのか」きちんと理解して受け入れているということです。弱点を受け入れられること、今の自分の限界を受け入れられること、それが本当の強さです。そして他人を受け入れることにもつながる。

受け入れていないと、「○○できなくちゃいけないのに」「みんなは○○できるのに」と苦しむだけで終わってしまう。「今の自分には、これはできるけれども、これはできない」「こういう場面ではなんとかなるが、この場面では力が出せない」とわかっていることで、何を改善すべきか、どんな助けが必要かも見えてくるのですから。

本当に強い人間は、自分の弱さを知っている。そして弱さを認めている。それがまさに「自信」というものなのです。

落ち込んでいるとき、やってはいけないこと・言ってはいけないこと

「なんでもないことじゃないか」「忘れるんだ」「これぐらいのことで落ちこむな」「気にしない、気にしない」「大丈夫、たいしたことないさ」「あんまり考えるな」「悩んでもしかたないじゃないか」……心の重圧を感じているとき、落ちこんでいるとき、ドツボにはまっているときに自分を励ますためのこれらの言葉。実はすべて、今の自分の状態を否定するものです。

今の自分の状態を否定して「こうしたいんだ」と目標をかかげることは、うしろ向きのままスタートラインに立つようなもの。つまり動きようがないのです。目標というゴールに向かうには、きちんと前を向いて立つスタートラインが必要です。今の現状を否定するということは、スタートラインに立つことを拒否しているのと同じとも言えるでしょう。

だからスタートできずに目標ばかりになって、「そうじゃなくて、こうなんだ！」という

めき続けることになる。「そうじゃなくて」が邪魔になって、「こう」なれないのです。

終わったことは早く忘れよう、と、忘れなければいけないと自分に強いるのは、過去の貴重な体験を捨てることになります。「気にするな」というのも気になっている自分を否定している。せっかく気になっている貴重な情報を、捨てようとしていることになります。

もうひとつ、低調なときに言ってはいけないこと。それは「絶対」「必ず」という言葉。

「今度こそは絶対○○しなければ」「必ず取り返さないと」……これは心の負担を増やすだけです。ミスは許されないという過酷な宣言をしていることになるから。そして、今までうまくいかなかった自分を断罪することにもつながります。

物事には、絶対とか必ずということはありません。「次はこうやってみよう」「今度はぜひこうしたい」その目標をしっかりイメージして心に刻めば十分なのです。うまくできなかったら許さないぞと自分を脅迫するような態度に出ていたら、潜在意識はあまのじゃくになってしまい、目標とは逆の方向に動きだします。

意気揚々としているときの「これは絶対イケるぞ」というのはリズムに乗っているからよいのですが、沈んでいるときの「絶対」は禁句。それを覚えておいてください。

どうも〝気持ち〟に〝体〟がついていかない……

毎朝目覚ましの音がつらい。長いことジリジリ鳴ってようやくぼんやり意識が戻ってくる。もう朝か、さっき眠ったばかりのような気がするのに。全身が重たい。何しろ昨日も遅かったしな。ああ、今日も調子が出ないだろうなあ。

こんな人は、体内時計がさびてしまっているのです。ぎりぎりになって布団から出て、あわてて家を出るものの、電車を一本逃してしまう。遅刻すれすれで会社にたどり着く。そして一日時間に追われ、約束には走って駆けつけて遅れたわびを言い、自分の仕事はみんな押せ押せで、すべてが予定通り運ばず、結局残業になってしまう……。

こんなふうな毎日では、自分のリズムで動くことができず、周囲の時間に引きずられてアップアップしている状態だから、自分本来の能力が発揮できないのは当然です。

頭と体のリズムがずれている、ということもよく起こります。

気持ちは焦っているのに、体がついていかない。逆に体調は悪くないのに、どうにも気力がわかない……。リズムがずれているのを自覚せずにガンガン努力していると、ひどく疲れがたまったり、あるとき急に燃えつきて何もかもやめたくなったりするのです。

では頭と体が一致して自分のリズムになっているというのは、どんな状態でしょうか？

楽しいことがある日や大切な行事の日に、目覚ましが鳴る少し前にパッと目覚めたことがありませんか？　たとえば子どもの頃の遠足の前の日でも、家族で旅行に出かける前の日でも。そんなときは、うきうきするあまり目がさえて少々寝不足だったとしても、どんよりした目覚めでなく不思議とぱっちり目が開いて、すぐに頭が働いたり、体もしゃきっとしてベッドから起き出しませんでしたか？

仕事をしていても、なんだか朝から調子がいいぞという日には、電車の乗り継ぎもうまくいき、予定の場所に予定通りの時間に到着し、やるべきこともきっちり時間内に片づいていく。おまけに、必要なものはすぐに見つかり、探していた資料もまるで向こうからやってきたかのようにすぐ手に入ったりする。……リズムに乗っているときは、そういうことが起こるものです。

私たちの脳には、もともと体内時計が働いていて、生きていくためのリズムを刻んでいます。

「自分はこうしたい」という指令を潜在意識がきちんと受け取っていれば、たとえば十二時半に寝て六時に起きなければならないとしても、そこですっきり目覚めるための最適な睡眠を潜在レベルで用意してくれるのです。そうなれば体も頭も、万全の状態で起きることができる。これは、「くそ、おれは短い睡眠だってがんばってやる！」と意識でがむしゃらになるのとは違います。ある意味で潜在意識に「お任せ」してしまう。意識ができることなどたかが知れていますが、潜在意識の力はずっと大きいのですから。

目覚ましをかけても、いつもベルが鳴り出す五分前にパッと目覚める、という人がたまにいます。眠りが浅いのとは別で、ぐっすり眠って気持ちよく目が覚めている。これは、目覚ましをセットするときなどに、潜在意識に「何時に起きる」というイメージの指令を出しているのです。いわば体内時計と意識とがきちんとつながっている状態。

さびてしまった体内時計に油をさし、ねじを巻きなおす方法があります。

3章で具体的にトレーニングしましょう。

ちょっとしたキッカケが心を解放する

私の知人の話をします。この人は母親に、「ものを言う前には必ず、相手がどう受け取るかを考えろ」と言い聞かされて育ちました。相手の気持ちを考えるのは確かに大切なことですが、「どう思われるだろうか」と気にするあまり、彼は自分の言いたいことをなかなか言えなくなってしまったのです。

大学を卒業するとき、親友に言われたそうです。

「おまえは何を考えてるかわからなくて、うじうじしてて、じれったかった」。

彼としては、親友のためを気遣って自分を抑えることも多かっただけに、この一言はショックでした。

しかし彼は「親友に裏切られた」などと思わず、ショックをバネに開き直ることにしたのです。「誰に嫌われてもかまうもんか」と。社会に出たら、自分のために言いたいことを言ってやりたいことをやる。すべての人によく思われようと考えるのはやめた……。

そう開き直ったことで、彼は自分のリズムをつかんだのです。

どう思われてもいいから自分が納得できるやり方で仕事をし、いつでも遠慮せず地を出してしまう。すると、嫌われるどころか周囲にどんどん人が寄ってくるようになりました。なぜなら、生き生きしている人というのは、それだけで魅力を発散しているからです。三年後に再会したかつての親友は彼の変貌ぶりに驚きました。「学生時代は好きなことやってても、社会に出ると保守的になるやつが多いのに、おまえは逆だな……」。

ちょっとしたきっかけで、自分が解放され、本来の能力を発揮できるようになることがあります。メンタル・トレーニングも、そのきっかけを提供するものです。

ある人は、周囲への劣等感で「自分はできないんだ」と落ちこみ、できない理由ばかり数え上げていたのですが、「できる自分」になるために周囲の「できるヤツ」から何を盗むかという発想に切り換えたことで、毎日が充実してきました。

ゴルフの桑原克典プロは、メンタル・トレーニングを始めた当初、「自分には経験がないからダメなんだ」という思いにとらわれていました。

学生時代はチャンピオンにもなっていたのに、プロになってから成績が伸びない。「賞金がかかったかんじんな場面を切り抜けるには経験がいるんだ。自分はまだまだ経験が足りない。やはりプロの壁は厚かった……」と思うようになってしまったのです。

その彼がぐんと伸びるきっかけになったのはイメージトレーニングです。実際に経験していなくても、さまざまな場面をイメージで体験しておくことで、目標に合わせて体が動いていくことが実感できたのです。

目標設定を考え直すことで、きっかけがつかめる人もいます。ある有名人の「二世」は、すぐれた親を持ったがためにプレッシャーに苦しんでいました。メンタル・トレーニングで私がふと、「あなたは親を目標にしていないか？　だとしたら、目標が低すぎて潜在能力が動かない」と言ったことが、彼にとっての転機になったのです。

これについてはちょっと説明がいるかもしれません。

私たちは父親と母親という二人分の遺伝子を受け継いでいる分、可能性は親の世代よりさらに広がっています。つまり親よりもすぐれた潜在能力を持っている。けれども親が世間的に成功していたり、何かの分野で偉大な業績を残していると、子どもは親を目標としがちです。つまり最初から自分は親よりも下だと思いこんでいることになる。それでは潜在能力が動き出さない。むしろ、別の分野の可能性を試したり、同じ分野でも親が果たせなかった目標にチャレンジするほうが賢いのです。

周囲の期待にノーと言えるようになったことで、自分のリズムを生かせるようになった人もいます。相手と同等であろうとしなくてもいいのだとわかったことで、「初対面の人と話すのが苦手」という思いこみから抜け出した人もいます。自分の未来をイメージしたことで、黙々と働く毎日の空しさが張り合いに変わった人もいます。

あなたも、自分を生かすきっかけをつかんでください。

自分を変えることは別人になることではない

三年後なり五年後なりの目標を考えるときに、今を基準にしてしまう人がよくいます。これは非常におちいりやすい間違い。

たとえば、「今、自分は課の同期の中で三番目ぐらいだろう。とすると、あいつの次に係長になれる。それが二年後ぐらいかな。とすると、三年後あたりにはプロジェクトのリーダーになるチャンスがくるかもしれない。よし、ちょっとがんばってそれを目標にしてみよう」。

これでは、潜在意識は動きません。現状を分析するという理性的な作業をやっているだけで、眠っている能力を揺り動かすことはできない。何も変わらないのです。

というのも、ほとんどの人は自分が本来持っている力を出しにくい環境で生きてきたから。

たとえば子ども時代、親から「お兄ちゃんはできるのに、どうしてできないの」とか「こうしないとお父さんに叱られるからね！」と言われたりしてきたとする。これでは「お兄ちゃん」や「お父さん」が基準になっているから、自分のリズムで生きるのを妨げてしまう。

学校でも、こなしきれないほどの目標をどんどん与えられてしまい、自分の興味と関係なく急いでやらないと間に合わない。こんな状態では自分自身の目標を立ててそれを実行していく余裕がありません。テストの点数で評価されるのは、百点にどれだけ足りないかという「マイナス面」を常に知らされることでもあります。その点数で振り分けられていく偏差値教育は、「おまえにはこれだけの力しかないのだ」と思い知らせるしくみでもあるのです。

そんな中でも、たとえば数学の問題を解く楽しみを味わえたなど、自分のリズムと周囲の期待がうまく折り合えた人は力を伸ばせる。でもこれは非常に幸運な例で、私自身も幸運とは言いかねる学生時代でした。

さて、そうやって生きてきて力が出せずにいる現状を基準に考えると、たとえやりたいことがあっても、「お金がないから無理だな」とか「集中力がないから」「根性がないから」「弱気だから」「周囲に理解がないから」だめだろうということになってしまう。

けれども、集中する力、イメージする力、目標を設定する力、自分のリズムをつかむこと……どれも人がもともと持っている能力なのです。その能力を、わざわざ出せなくしているだけ。

自分を変えることは、できるのです。これは多くの人のメンタル・トレーニングをしてきた私の、心からの実感でもあります。

ただしそれは、別の自分になろうとしたり、今までの自分が持っていない新しい力を外からくっつけることではありません。自分の本来持っている力を、自分らしく発揮できるようになることによってなのです。

だから将来の目標をイメージするときは、現状からスタートするのではなく「自分がどうなりたいのか」を自由に思い浮かべることが役立ちます。そのやり方も、3章で説明しましょう。

メンタルの強さを発見するゲーム

私がいつも電車に乗るときにやっているゲームを紹介しておきましょう。イメージ力のゲームです。イメージする力というのは、芸術家でもなければ、ふだんあまり訓練されていないもの。それだけに、みがいていくと思わぬ強さを発見できます。

いつも乗る電車の中で、自分のそばにあるドアに注目する。次の駅ではこのドアが開くな。ここはホームのあのあたりだ。少し左に駅名表示があって、向こう側には別のホームの売店と、階段が見えるはず。その情景をまず頭にインプットする。次がかんじん。ドアが開いたとき、どんな人が乗ってくるだろう?　電車が停まって、ドアがスーッと開いて……そこで起こることをイメージしてみる。

「あっ、もしかしたら赤いスカートはいている女性が乗ってくるんじゃないかな」

「スーツ姿の男性と、ジャンパーを着た男性が乗ってくる」

何でもいいからイメージを浮かべる。

最初はもちろん、予測がはずれることの連続です。それでもイメージする力がだんだんみがかれる。はじめは「女性が三人」ぐらいのラフなイメージだったのが、どんな様子のどんな人が乗ってくる、と具体的になっていきます。

すると不思議なことに、ときどきイメージ通りのことが起こる。単なるゲームですから当たったからどうということはないけれど、「茶髪の学生が携帯でしゃべりながら入ってくる」というのがそのまま目の前で起こったりする。

なぜそうなるか、あまり強調すると超能力めいた話みたいになってしまうので、ここでは控えますが、少なくとも言えるのは、意識的に強くイメージするというのは自分の潜在意識のアンテナから信号を発しているようなもので、同時に潜在意識のアンテナが外部からの信号を受信するようになり、これを私はメンタルの受信・送信の法則といっていますが、これから起こることを予知できると考えています。

アンテナから発する信号は、その響きを受け取るアンテナを持った人と相互通信をします。何も難しい話ではない、「なんとなく気が合う」「運命的な出会いを感じる」というのも、いわばアンテナが引き合っているのです。探していた情報とうまいときに偶然めぐり合ったり、まさに今必要としていた人と出会うことができたりというのも、お互いの潜在意識のアンテナがうまく働いているから。

こうした「強さ」のもとになるのが、イメージする力です。当たるか当たらないかではない。自分にイメージする力があるのを実感することが役立つのです。

誰かと初めて会う前に、「自分はどう見えるか」ばかり気にしないで、「相手はどんなふうな人かな」とイメージするクセをつけてみる。もしイメージとまったく違う人であっても、「あ、違うな」という自分の判断からスタートすることで、相手のペースではなく自分のペースになることができます。

さて、もうひとつのゲーム。

時計の秒針を見て、一秒はこれぐらいだな、と自分の中で刻んでから、時計を見ずに三〇秒を数えてみる。そして秒針を確かめる。

大幅にズレていたら、自分の中のリズムが崩れているのです。早すぎるときは、何かに

60
15
30
45

焦っているのかもしれない。遅すぎたら、自分の中でブレーキをかけているものがある。「合わないからダメだな」ではなく、「なるほど、こういう状態か」と認める練習をするのもゲームのかんじんな点。

ほぼ三〇秒が刻めたら、「オッケー、いい調子だ。このリズムでいこう」。

慣れてくると、最初に一秒の長さを確認しなくても、ただ秒針の位置を確かめてスタートし、自分なりのリズムで三〇秒をはかることができるようになります。こうなると、自分の調子が乱れてるなというとき、三〇秒を心の中で刻むことで本来のリズムを取り戻すこともできるのです。

ここにあげた二つに、必死で習熟する必要はなし。あくまでゲーム、こんなことでも自分の力を実感できる、という例にすぎないのですから。おもしろいなと思ったら、やってみてください。力や可能性を実感する糸口は、人によりさまざまなのですから。

「打たれ弱い人」のための本当の自分探し計画

繰り返し言いますが、メンタル・トレーニングというのは、新しい力を身につけるわけではなく、自分の中にもともとあった力を引き出すきっかけをつくってあげること。

そのポイントとなるのが、潜在意識をどう活用するかということです。

人の活動は、意識によるものはごく一部で、九〇パーセント以上は無意識のものです。たとえば「七時にあのレストランで会おう」と彼女に電話をかけるのは意識的な活動ですが、プッシュボタンをどうやって押すか、どの指をどう使うか、いちいち意識してはいない。何時に家を出て、どの電車のどの駅で乗り換える、ということは意識しますが、右足と左足を交互に出すのだ、と意識したりしない。キップを買うのにどうやってお金を入れるか、自動改札をどうやって通るか、電車のドアからどうやって外に出るか、すべて無意識の活動です。彼女に会ったときに思わずこぼれる表情も、無意識のもの。

意識ができることなどたかが知れていますが、潜在意識が担当している分野はずっと広い。そして「彼女と楽しくデートをするのだ」というイメージが潜在意識にしっかり刻まれているからこそ、いちいち細かく意識しなくても、足取りも軽く目的の場所まであなたを運んでくれるのです。こんなとき、彼女との会話もスムーズにいき、お互いの息もぴったり合う。

もしも潜在意識が「たぶん今日はうまくいかないだろうな」というイメージを受け取って動いていると、自然と足取りは重くなり、顔はうつむきがちになり、声は張りを失い、姿勢はこわばります。相手の潜在意識はこの信号を受け取って、「なんとなくこの人といると居心地が悪いな」ということになる。

「前向きな人」「打たれ強い人」というのは結局、自分の潜在意識をうまく活用し、能力を生き生き発揮できる状態にいるのです。逆に「打たれ弱い」人にとっては、いかに潜在意識のスイッチを切り換えるかが課題になります。

その方法はいろいろある。呼吸法、緊張とリラックスのコントロール、集中力など基本のトレーニングや、具体的な場面での活用法を、次の3章であげていきましょう。

3

タフで動じない心になる「メンタル・トレーニング」

「クヨクヨ」「プレッシャー」をハネ返す！　実践的対処法

いよいよトレーニング実践編です。1章、2章で基本的な考え方を納得したあなたは、マンツーマンのトレーニングにより近い効果が得られるはず。

まずはすべての基本となる呼吸法と、その呼吸を実践しての五つの基本トレーニングです。必ずしもすべてやらなくてもOK。一つが糸口となって、眠っていた力が引き出されることも多いのです。

続いて、仕事や人間関係でぶつかる「やっかいな場面」を切り抜けるための、ケースごとのトレーニング活用法です。

1 「打たれ強い心」になる六ヵ条

〜どんなことにぶつかっても、どういう場面でも強くあるための基本〜


なぜ、いざというとき力が出せないのか。打たれ弱いのか。

それは、緊張のコントロール法を知らないから。集中力が出せなくなっているから。自分のリズムを失っているから。

「緊張」「集中力」「リズム」。この三つをコントロールすることが、力を発揮する前提条件です。そして能力の貯蔵庫である潜在意識が動き出すには、「イメージ力」、そして「適切な目標設定」がかんじん。

これら五つのかなめとなるのが「呼吸法」。意識と潜在意識のパイプ役であり、「できない自分」から「できる自分」への切り換えスイッチの役目をするのです。この六つの基本が、あなたが変わる第一歩です。

1 呼吸法

人が能力を十分発揮するには、潜在意識のバックアップが欠かせません。そして、潜在意識が動き出すには、目標を認識し、潜在意識にインプットする作業が必要です。

この、「意識」と「潜在意識」のパイプ役となってくれるのが、呼吸法。

呼吸は、人間の意識的な活動の領域と、意識に左右されない領域とにまたがっています。内臓の働きや、心臓の鼓動は、意識によってコントロールすることができない。呼吸も同様に、生命維持に必要なものは、潜在意識の支配下にあるしくみになっているのです。けれども、水中で息を止めたり、大きく息を吸いこんだりと、意識的にコントロールすることもできるのです。つまり、呼吸は意識と潜在意識の両領域にまたがっている能力なのです。

さらに、深呼吸すると酸素が十分取り入れられ、体中の細胞を活性化するのは知っての通り。このような呼吸の性質を利用して、意識的に呼吸することで潜在意識に働きかけるスイッチにするのが呼

吸法です。まずは呼吸の仕方から。……そんなもの教えられなくたって知っていると、先を急がないこと。大事なコツがあるのです。

口からたっぷり息を吐く。そして鼻から吸う。

胸を膨らませる胸式呼吸ではなく、おなかに息を入れる「腹式呼吸」です。腹式呼吸がわからない人は、横になってやってみれば自然に腹式になります。

吸うことより、まず吐くことが大切。というのも、ゆっくり、たっぷり、息を吐くことで、「酸素を十分取り入れるぞ」という体へのサインとなるのです。

吐くときは、吸うときの倍の時間をかけます。二秒で吸うなら四秒で吐く、三秒で吸うなら六秒で吐く。無理してゆっくりにしようとする必要はなし。自分の一番楽なリズムをつかんでください。

毎日たった五分でいいのです。寝る前に自分の部屋でなど、落ち着ける場所で一週間ほど続けます。一週間もすれば、この呼吸はあなたのスイッチへと変わります。

自分のリズム呼吸をつかんでおくことはすべての基本。「これが何になる?」と思うかもしれませんが、プロ・スポーツの選手たちもみんなここから始めているのです。

2 緊張とリラックス

緊張とは悪いものではなく、力を発揮するためのスタンバイ状態。このことは前章までで納得してもらえたと思います。でも、緊張状態の主導権を握るトレーニングをしていないと、緊張に引きずられて度を失ってしまう。

ここでさっそく、リズム呼吸が役立ちます。自分の呼吸のリズムを保ちつつ、まず息を吐きながら徐々に体の各パーツごとに力を抜き、ダラーンとリラックスします。あご、肩、腕、腹、足のつま先と上から順番に、各々三〇秒ぐらいの時間をかけることが目安。吸いながらグッと力をこめて、そしてゆっくり息を吐きながらストーンと力を抜いていく。

これを繰り返すのです。

緊張とリラックスの加減と、呼吸とを結びつけて、潜在意識に「条件づけ」する。この呼吸をしたら緊張状態を自分のコントロール下におくよと、教えこむのです。

基本のリズム呼吸に続いて、これも一週間ほど練習します。それでもう、実際の場面で使えるようになっているはず。

緊張してガチガチになったとき、リズム呼吸にあわせて、吸うときに力を入れ、吐くときに力を抜くのを数回。ただし、すでに体中カチンコチンに力が入っているなら、吸うときそれ以上力をこめようと必死でがんばらなくてOK。へたをすると卒倒してしまいます。

慣れてくると、力を入れたり抜いたりと意識しなくても、リズム呼吸するだけで緊張のコントロールができます。さらに習熟すると、緊張が高まったサインを無意識に感じてリズム呼吸するようになる。

この呼吸によって緊張状態が自分のコントロール下に入り、そのときにふさわしい緊張レベルへと、潜在意識がもっていってくれます。というのも、これから短距離の全力疾走をするというなら全身の筋肉がスタンバイしていることが必要ですが、お見合いの席だとしたら、あまり力が入っているのも考えもので、赤面した怪獣かと思われてしまいます。

今はどのあたりの緊張レベルがよいのか、などとよけいなことは意識しないでいい。潜在意識がきちんと知っているのですから。

3 集中力

これは大きなテーマ。じっくりいきましょう。

目の前の仕事に集中すればいいのに、ついつい次の仕事が気になる。周囲の会話に耳がダンボのようになる。やがて心は遠く休暇の計画へとさまよいだす……「自分は集中力がなくて」というのは、社員研修などでよく聞く嘆きです。

集中力がないのではなく、出せない状態になっているだけ。子どもの頃、遊びやテレビアニメに夢中になり、親に何か言われても耳に入らない、ということがありませんでしたか？　好きなことには誰だって集中できるのです。

逆に、机に向かって好きでもない勉強をしているとき、「もっと集中しなさい」「どうして集中できないの！」と言われませんでしたか？　意識して「集中しよう」と思っても無理。集中状態というのは潜在意識がつくりだすものです。おもしろいと思えば自然に集中している。意識して集中しなけれ

ばと無理なことを繰り返すから、「集中できない自分」という回路を頭の中につくってしまう。

そこで、「集中できないと思いこんでいる自分」から「集中できる自分」への切り換えが必要となります。そのスイッチとなるのが、またしてもリズム呼吸。

トレーニングに入りましょう。

手のひらのどこか一点を、じっと見つめる。五分間ほど、何も考えないようにして、ただ見つめ続けるのです。なんならタイマーをセットしてもいい。五分間というのはかなり長いです。一〇秒かそこらで「できたよ」とごまかさないこと。

さあ、今からやってみてください。手のひらを見ることだけに集中するのです。

……。

どうですか？

「オイ！　できるわけないじゃないか！」と途中でイヤになって投げ出した人、あなたは非常に正しい。たいていはできません。明日の予定とか、あと何分かなとか、気になる女性のこととか、自分の手相がどうなっているとか、あれこれ考えてしまうはずです。

そこで「集中できないからダメだ！」と自分を否定しない。ただあっさりと、「集中していないな」

と認めればよいのです。これこそがトレーニングの大事なところ。

ではもう一度五分間。

手のひらの一点を見つめ、途中で別の考えが浮かんできたら、集中できていないことに気づいてください。気づいたら例のリズム呼吸です。そしてもう一度手のひらを見つめる。またしばらくすると考えがさまよい始め、集中できない自分に気づくはず。再びリズム呼吸。

この五分間のトレーニングを一週間ほどやってみてください。リズム呼吸が「集中していない自分」から「集中する自分」に切り換わるスイッチになります。

さらに本格的に集中力をみがきたい人は、わざと好きな音楽を流しながらやってみたり、電車の中や喫茶店でやってみるなど、集中しにくい環境でチャレンジしてみる。

もっとも人前で手のひらをじっと見つめていると異様な感じになるので、壁の一点でも何でもＯＫ。おなじみの歌詞が流れているのも気づかないぐらい集中すると、集中状態というのが非常に気持ちよいことに気づくはずです。

「無の境地」なんていう言葉がありますが、よけいなことをあれこれ意識するのでなく、潜在意識のレベルが目標に向かってひたすら活性化している「集中状態」をさしているのです。

中には、集中力のトレーニングを重ねるうち、「手のひらの向こうが透けて見えた」「見つめた一点から白い煙のようなものが出るのが見えた」など、超常現象めいた体験をする人がいます。そんなことがあったとしても、常ならぬ現象にあまりこだわらないこと。

本当に集中すると思わぬ力が出るのだな、集中するのは気持ちいいぞ……ぐらいに思っていればいいのです。これは「超能力」のトレーニングではなく、目的はあなたが自分の力を発揮できる状態をつくることなのですから。

もともと人の潜在能力というのは計り知れないもの。実際に、トップクラスのバッターが集中すると一四〇キロの球が止まっているかのように見えるし、ゴルファーが集中すると打つべきボールのラインが白く光って見えたりするのです。

仕事の場面であれこれ気になって「集中できていない自分」に気づいたら、今何をすべきなのかを再確認し、リズム呼吸。こうやって「集中できる自分」への切り換えをします。具体的な状況に合わせて、あとでさらに説明しましょう。

4 イメージ

イメージする、という言葉はすでに何度も登場しました。何かの状況や、将来の目標などを、まるで体験しているかのようにありありとイメージすることで、潜在意識に情報としてしっかりインプットされます。脳は、実際に体験したこととイメージしたことを同じ情報として処理します。

過去の「うまくいかなかった」体験を、イメージによって「こうやったらうまくいった」体験に置き換えることだって可能なのです。

スポーツ選手はこのイメージトレーニングを、苦手場面を克服するのに役立てています。

イメージする力は、誰でも体感できるもの、たとえばお風呂でポカポカゆったり……がいいでしょう。最初はやりやすいように、入浴後にトレーニング。

お風呂から出てパジャマを着たら、落ち着ける場所に座って、リズム呼吸しながら入浴中の自分をイメージしてみましょう。映像を浮かべるだけではありません。実際にお湯につかっているときの体の感じをよみがえらせるのです。ちょうど心地よい熱さ、浴槽に体を預けている安心感、ほてって汗がにじみだしてくる、湯気が充満している、手の指先から足のつま先まで温まってリラックスしている……。ほんのちょっと前に体験していたことですから、イメージしやすいはず。

何日か続けると、リズム呼吸の合図だけで、浴槽の中にいる感じがありありとよみがえってきます。そうなったら、入浴直後でなくてもイメージできるようやってみる。「お風呂に入っている」と自分に言い聞かせて数回リズム呼吸しただけで、体がポカポカゆったりするようになってきます。イメージと体感とをつなぐパイプが、みごと機能したのです。

私たちはテレビなど映像の洪水の中で育っているために、視覚型になっていることが多く、イメージを映像と誤解しがちです。画面の中でこれでもかこれでもかと残虐な事件が展開していても、その痛みや苦しみを実感しにくいシステムの中にいるのです。そうやって鈍らされたイメージ力を、再び活性化する。それだけで、もともと持っていた感性がぐんと生き生き発揮できるようになります。イメージするには視覚だけでなく、聴覚、触覚、場合によっては味覚や臭覚と、五感をすべて動員することになるからです。

あとはそのイメージ力をどう使うか。使い道は無限といっていいほどたくさんあります。

5　目標設定

たいていの人は、間違った目標のために力を発揮できずにいます。その例は……。
・会社から押しつけられた目標で、自分で納得していないからやる気が出ない
・人からどう評価されるかを基準にした目標で、自分のリズムで生きていないため、不安でむなしい
・目標達成だけが重圧としてのしかかり、走るのに疲れて燃えつき寸前
・自分の力を過小評価しているため目標が低すぎて、潜在能力が動かない
・目標というより「こうなれたらなあ」とぼんやり期待し白昼夢にひたっている
・毎日をこなすだけで精一杯で、先のことが何も考えられない
……どれにも当てはまらない人はめずらしいのでは？　つまり、目標設定のコツをつかむだけで、周囲を自分のペースに巻きこむぐらいの力が出せるということ。

潜在能力が動き出すような将来の目標の立て方は、二つの条件をクリアするだけ。

一つは、その目標を考えたとき心から楽しくなること。

次に、目標実現のために今何をすればよいかが具体的に考えられること。

では、三年後に「こんな自分になっていたい」という目標設定のトレーニングをしてみます。トレーニングですから、「本当にできるだろうか」と理性でチェックしたりせず、とにかく心がうきうきするような目標を考え出してみます。たとえば……

「モバイルの新製品でヒットを飛ばしている」「環境監査の若手第一人者として活躍し、あちこちで講演もしている」「畳がウケている南アで、日本の民芸品をヒントにした生活用品の会社を起こしている」「アメリカの高級リゾート地でゲーム作家として悠々暮らしている」「有機農法でおいしい果物をつくり直販ルートで喜ばれている」「大胆なアイデアで○○県の経済活性化に成功し、全国のモデルケースの仕掛け人として注目の存在になっている」「会社勤めのかたわら書いた脚本が認められ、劇作家・演出家として新しいカルチャーの旗手となっている」「地元の学校に社会人教師の第一号として採用され、住民参加の授業に成功して子どもたちの生き生きした顔とともに過ごしている」

思いついたときはただの夢のようでも、どんどん細部をイメージしてつめていきます。そのときの自分はどんな暮らしをしているか？　毎朝どんな気分で目覚めているか？　周囲の人とどんな会話を交わしているか？　その自分になったつもりで、できれば体感できるまでありありとイメージしてみる。

次は、その目標を今につなげてみます。それには時間を逆回しするのです。三年後にそのような自分になっているには、二年後の自分は何をしている必要があるか？　一年後はどうか？　あとは一ヵ月ずつさかのぼって、やるべきことを考えて書き出していく。では今月、目標実現のためにできることとは？　今日、できることとは？

もしここまでくることができたら、目標は今につながったのです。トレーニングのつもりで始めたけれど、本当にその目標に向けて心が始動しているかもしれない。だとしたら、今日できることを、今すぐ始めてください。

あとは一日一回、朝の数分を使って目標のイメージを再確認する。昼間は先のことを考えるより、今できることに集中します。これで目標は確実に実現に近づいていきます。

6 リズム

自分のリズムを保てること、頭と体のリズムが一致していることは、力を発揮する最高のコンディションを保証してくれます。

日ごとの細かい目標達成には、リズムが欠かせません。何時までにこれだけのことをやる、とメドをつけて、ほぼその通りに完了できるというのは、体内時計がしっかり働いている証拠。明朝六時にイメージ通りに起きられる人は、三年後も自分のイメージ通りになれるよう体内時計が働き、可能性を考えたら、数千倍もの時間がある三年後のほうが、いろいろなことができる余裕があって、イメージ通りになりやすいはず。

ところが私たちは、周囲の雑音が多い生活の中で体内時計が乱されている場合が多い。そこで、ねじを巻きなおすトレーニングです。

夜寝る前に、明日何時に起きるのかを自分にしっかり言い聞かせる。それが六時だとしましょう。

「ああ、明日も六時に起きなきゃならんのか、また寝不足だ」と、ふと頭に浮かぶかもしれません。それはそれでいい。切り換えのリズム呼吸を二、三回しながら、六時をさしている目覚し時計を思い浮かべます。ベルの音も。そして次は体感です。目覚ましとともに気持ちよく目覚めている自分をイメージするのです。

眠る前にイメージするだけですから何も負担にならない。何度かやるうち不思議とスッキリ起きられる自分に気づくはず。休みの前の日には、目覚ましなしでやってみる。明日何時に起きたいかをイメージして、自分の体内時計の目覚ましに任せてみるのです。

こうやって、体内時計が起床時間に合わせて自分に最適な睡眠を与えてくれるしくみを取り戻します。感じがつかめたら、昼間も体内時計を働かせましょう。

「また今日も残業だろうなあ」ではなく、自分の設定した時間に仕事を終えている自分をイメージしてみる。たとえば六時までに会社を出ようと考えます。五時四十五分に書類をしっかり仕上げて、見直しを終え、上司の机に持っていく自分の姿をイメージして潜在意識に刻み込む。さて、そのためには何時に何をやればよいのか。具体的に思い浮かべます。こうやって体内時計のスイッチを入れるのです。

毎日そうやってイメージすることで、体内時計のリズムが調整されていきます。

昼間の体内時計を設定する作業は、最初は落ち着ける場所でやったほうがうまくいくでしょうが、毎日の習慣になれば通勤電車の中でもできます。自分のリズムで動き始めると、時間に追われるばかりの生活からいつのまにか解放されている。周囲に引きずられるのでなく、自分で自分をリードする生き方、それはこんなところにもヒントがあるのです。

ひとつ付け加えておくと、イメージと体内時計がうまく連動すると、「明日は大事な会議なのにロクに眠る時間がない」というときにも役立ちます。

寝る前に、スッキリ目覚めている自分をイメージする。朝もイメージを使う。「ロクに寝ていないから調子が出ない」と思い続けていると、うまくいかない言い訳をどんどん用意してしまうので、否定的にならず短時間でも「よく寝た！　頭も体もスッキリしているぞ」と自分に言い聞かせてしまうのです。これで本当に調子が出るから、人間の力はたいしたもの。

ただし、こんなことを続けると過労で倒れますから、大事な場面が終わりしだい、喫茶店に避難して居眠りするなり、定時でサッサと帰宅してベッドに倒れこむなりしてください。くれぐれも途中で事故に遭ったりサイフを落としたりしないよう身の回りにご注意！

2 仕事編

~仕事で失敗した自分から、仕事が楽しくてたまらない自分になる~

メンタルトレーニングの六つの基本を、実際の場面でどう活用していくか。

今まで眠らせていた潜在能力を発揮するには。

仕事でぶつかる「こんなときどうしたら?」という困った事態を材料に、克服法を考えていきます。問題解決の例を通じて、イメージをどんなふうに役立てるのか、呼吸法がどう生きるのか、手にとるようにわかってくるはず。

仕事も、そして生きることも、問題解決の連続です。

何も問題が起きないことが幸せなのではない。問題を解決する力が自分の中にあることを実感して、問題解決を楽しんでください。そうやって一歩ずつ進みながら、潜在能力を開花させていくことができるのです。

●会議で緊張して、うまくしゃべれない

〈緊張感をその場でとりのぞく法〉

会議で発言したり発表することが前もってわかっているとき、イメージで予行演習をしておくことをすすめます。ただし、何の緊張もなく楽にペラペラしゃべっている自分をイメージしてもあまり役に立たない。

人前で話すのが苦手だなあと感じている人は、かつて緊張のあまりうまくいかなかった体験を持っているはずです。だから、まったくプレッシャーのない自分をイメージしても、それはただの想像にすぎません。緊張したときの自分はどんな状態になるのか、まずはよく思い浮かべてみること。そこから出発した上で「うまくいくパターン」のイメージをつくりあげるのです。たとえばこんなふうに。

自分の話す順番がだんだん近づいてくる。あっ、次の次が自分だ、心臓がドキドキして

きた。手が細かく震えるような感じがする……。

以前うまくいかなかったときは、その緊張を否定してガチガチに固まってしまったわけですが、緊張感が高まるのは自然なことで、これから自分の能力を発揮するぞというサインです。だから今度は、同じ緊張感を味わいながら「よし、スタンバイしてるな」と感じている自分をイメージします。リズム呼吸で緊張レベルを調整している。よし、ちょうどいい調子に緊張しているぞ。

いよいよ順番がきて、話し始める。流暢に話すイメージをつくる必要はありません。だいたい、立て板に水のような話し方では聞いている人の印象に残らないのです。つっかえながらでもいい、「何を伝えたいか」ということがしっかり頭にあり、それを一生懸命伝えている自分をイメージしていく。

このときに、自分が話している内容だけでなく、周囲の環境や、相手の反応もイメージすることが重要です。

イメージというのは五感を総動員する作業。スポーツの場合なら視覚だけでなく体感のイメージが重要なのですが、仕事の場面では、むしろ大事なのは相手やその場の雰囲気です。それを考えずに自分のことだけイメージしても、ただの一人芝居になってしまう。

そこでたとえば、会議室に机がこう並んでいる、部屋はちょっと暖房がききすぎているな、と思い浮かべていくことから始めて、目の前の光景をイメージします。大きくうなずきながら話を聞く部長、すぐに首をかしげるクセがあるA課長、たいてい下を向いたまま資料をめくっているB課長……。

自分の一言で、そのB課長がふっと顔をあげるかもしれない。A課長から質問の手が挙がるかもしれない。こんな質問がきたら、自分は「きたな」とリズム呼吸して、こんなふうに答える。すると、A課長が満足そうな顔をする。発表を終えて資料をそろえながら席につく。興奮して上気している。あ、部長が「ほう」という表情で拍手している。課長連中も続いて拍手を始めたぞ……。

つまり、目で見えるイメージだけでなく、肌で感じる温度や耳に聞こえる音など、五感を総動員してイメージするのです。

まるで本当にそこにいて見ているかのように、そして聞いているかのように、がポイント。もちろん、自分の発言は実際に声に出してしゃべってみる。この作業をすることで、

「何を伝えたいのか」という目的と、成功場面の感触を、潜在意識に刻み込むことができます。

現実場面でたとえ予測と違う展開になってもかまわない。かんじんなのは潜在意識に最終目的をしっかりインプットしていること。目的さえ明確なら、状況がどうなっても目的を達するように潜在意識が対処してくれるのです。

いざその場になったら、まず緊張したり不安になっている自分を認めてリズム呼吸します。この章の最初に出てきた呼吸法で、潜在意識のスイッチを入れるのです。

あとは「うまくいくだろうか」「あがっているかな」などと余計なことは意識せず、自分のコンディションの調整は潜在意識に任せてしまう。「これを伝えるために今何をしたらよいか」だけを考えればよいのです。

●大失敗をした翌日、会社に行きたくない……

〈出社一歩の勇気を持つ法〉

昨日はまずいことをやってしまった。会社に行ったらきっと叱られるぞ。そうでなくても仕事は山ほど残っているし、ああ、さんざんな一日になりそうだ……。

そんなことを寝床の中で考えているうち、起きたくなくなります。休むための理由を考え始めたりする。「こんなことじゃダメだ、会社に行かなければ」と思えば思うほど、ますます体が動かない。

会社、すなわち心の重荷となっているのですから、そのいやな場所に「行かなければ」と意識すればするほど、潜在意識は「行かないほうへ、行かないほうへ」と動き出します。そのうち本当に頭がズキンとしてきたり、胃がチクリと痛んだりする。「今日は体調も最悪だ。休もうかな」などと考え始めるのです。これで会社を休む立派な理由ができあがる。けれどそれは潜在意識のいたずらです。

こんなときは会社でふだん通りに仕事をしている自分をイメージしてから、そのために、電車に乗っている自分、そのために家でしたくをしている自分、そのために……、と、だから今、何をすべきかと。今すべきことだけを意識するのがコツ。リズム呼吸して、まずは洗面所で顔を洗っている自分をイメージします。起きて顔を洗うことだけを目標にすれば、体は動きます。洗面と歯磨きをすませたところで、また「ああ、会社に行かなくちゃ」とイヤな感じが頭をよぎる。すると体の動きが止まってしまう。そこでまたリズム呼吸し、ご飯を食べている自分をイメージする。玄関に新聞をとりに行く自分、コーヒーをいれている自分など、いつもの通りにやっている自分をイメージして、それを目標に行動するのです。こうやって、服を着る、玄関を出る、バス停や駅まで歩く、駅から会社へ歩く……と一つずつ今やるべきことをやっていけば、会社にたどり着きます。

そこで問題と向き合うことになる。

仕事とは、ある意味で問題解決の連続です。自分で招いたトラブルだろうが、向こうからやってきた難題だろうが、そこから逃げずに解決できるかどうかが分かれ目。解決を引き延ばせば引き延ばすほど、問題は大きくなり、悩みは深くなります。

ここで会社を休めば、「ああ、休んでしまった」と自分を責めることになる。上司に何と言われるだろうか、あの問題はどうなっただろうかと気に病みながら、一日を過ごすことになる。そして翌日はもっと行くのがつらくなるのです。

まず会社に行くこと。それが問題解決の行動のスタートです。

なお、相手に迷惑をかけてしまった場合の対処法は、「3　人間関係編」で扱います。

さらに念のため。物事に「絶対」「必ず」はないと前章で言いましたが、ここでもそれはあてはまります。何が何でも「絶対に」会社に行けというわけではありません。たいていの場合は行ったほうが結局は楽だし、損をしないですむというだけのこと。

行かなかったなら、その状況をどう生かすかを考えればよいのです。実際に私自身、自分のやりたい仕事ができないストレスから会社に行きたくなくなったことがあります。今考えればそのストレスのためでしょうが、実際に腰痛が耐えがたいほどひどくなって病気休暇をとったのです。その休暇の間に、「それなら自分は何をしたいのか」「どうやって実現するのか」をトコトン考えることができました。「問題からいったん逃げる」ことの効用もあるのです。自分に役立つ逃げ方については、別の項で触れます。

●大役をになわされた。自分には無理では？

〈憂鬱な気持ちをふきとばす法〉

新しいプロジェクトチームのリーダーになれと言われた。明日、大事な取引先との商談に一人で行けと言われた。初めて自分だけで企画書を仕上げることになった。英語が苦手なのに、国際会議に出るよう命じられた。

……自分にできるのだろうか？　無理じゃないだろうか？　失敗するのでは？　憂鬱な気分がこみあげてくる。

憂鬱になったからといって、いけないことではありません。憂鬱な気分は潜在意識からの信号。「目標があいまいになっているぞ、何をしたいのかきちんと確認してくれ」というサインです。憂鬱になっていることを認めた上で、このサインに答えましょう。

自分にできないのではと決めつける前に、まず命じられた仕事の中身と目的を再確認します。理解できない点や不明な点は、書き出した上でよく聞いて確かめる。

それができたら、イメージトレーニングです。二つのイメージを使います。

一つは、仕事がすべてうまくいった自分。

どんなふうに行動し、どんな結果を出しているでしょうか？

たとえばプロジェクトチームのメンバー、五人の顔を思い浮かべてみる。どの人もその人らしいやり方で意見を出してくる。自分はそのいいところを評価しつつ、改善点を指摘し、活発にやりとりしている。方向が順調にまとまってくる。計画が具体的にスタートし、外部との折衝も増えてくる。その様子を自分が上司に報告している。上司も目を輝かせて聞いている。このプロジェクトに社長も注目し、さらに予算がおりた。ますますメンバーはヤル気を出している……。

もう一つは、うまくいかなかった自分。

現実的に起こり得る悪いことをしっかり描いてみるのです。「失敗したら大変」と思っている失敗とは、いったいどんなものか？　クビになるほどのもの？　めったにそんなことはないでしょう。自分の課に大損害を与える？　そんな大事なことなら、課長のクビもかかっていますから、課長から途中で助け舟が出るのでは。

「失敗」の程度が現実的に想定できたら、そのミスに対処している自分や、ミスから学んで次の仕事に生かしていく自分をイメージします。

たとえばチームの一人が細かい方向の違いにこだわって、自分の提案を頑として受け入れない。そこで全員の足並みが乱れてしまった。どう対処するか？　ミーティングを開いてとことん話し合うのか？　問題の一人を呼んで個人的に説得にかかるか？　上司に状況を話して調整を頼むか？

あるいは企画書がまったくなっていないと、上司からつき返された。どうするか？　ここで落ちこんでいても始まらない。もう一度じっくり読み直してみるか？　どこを改善したらよいのか上司によくよく聞いてみるか？　うまくいった企画書の例を上司に頼んで貸してもらうか？　資料をあたり直すか？

別の例。国際会議に出たものの、ちんぷんかんぷんで、会社に役立つ情報はほとんど得られず、会社のアピールもできなかった。自分はやっぱりダメだなと意気消沈して帰ってきた。上司にどんなふうに報告するのか、頭が痛い……そんな場面をイメージし、この失敗を生かす自分を思い浮かべてみます。

まずは、取り繕ってもしかたないと覚悟を決めた。少しでも得てきたものをまとめようと、走り書きのメモを見直してみる。箇条書きにしてまとめてみたら、成果は決してゼロではない。それなりにわかったこともあるし、新しくできたつながりもある。何より大きいのは、今の自分の課題がハッキリしたことだ。ビジネス英会話をしっかり勉強しよう。特に業界用語を覚えることと、ヒアリングが大切だ。そう気づいて、自分の目的に添った勉強ができる会話学校を探すことに決める。海外の経済ニュースも、どこに注目して読んだらいいかが少し見えてきた。こういう課題も含めて上司に報告して、次のチャンスを生かすことをアピールしよう……。

この作業をやってみると、考えられるミスは何か、それを防ぐため何が必要か、もしも途中で困難に突き当たったときはどんな対処が可能か、誰に助けを求めるべきか、見えてくるはず。つまりはあなたが今やるべきことがわかるのです。そして失敗をいたずらに恐れることなく、具体的な準備にかかろうという気持ちになってきます。

こうして潜在意識が、目標に向かって働き始めるのです。

●大きすぎる目標(ノルマ)につぶされそう……

〈ノルマを自分の課題にする法〉

プレッシャーはむしろ力を発揮するためのバネになる、ということを1章から説明してきました。ところで、潜在意識が動き出して能力を発揮するには、押しつけられた目標ではなく自分の目標として、しっかり納得していることが必要です。

大企業のサラリーマンの場合、会社の存在が大きすぎて、自分が歯車の一つのように感じてしまう。会社が何のためにこの事業を必要としているのか、自分が今やっていることはその中でどんな意味を持つのか、実感することが難しいのです。

そしてノルマだけが重荷となってきたりする。

ある不動産会社の営業部門の研修に呼ばれたとき、会社のノルマに追われるのでなく、いかに自分の目標を設定するか、ということをテーマにしました。

まずは現在の環境にこだわらず、自分が将来どんなふうに暮らしていきたいと願っているのか、さまざまに思い浮かべ、イメージを描いてもらう。その未来のイメージと、現実の仕事との接点を探していくのです。

たとえば、自分の趣味で凝ったレストランバーを経営するのが夢だ、という人がいました。その目標実現のために、何が必要か？　雑誌などを読むのもいいが、何より現在、飲食店を経営している人の話をたくさん聞くのが役立ちそうだということになりました。では、経営者のリストはどうやって入手するか。そこを訪れたとして、どんな話を聞くのか。最初はうるさがられても、「自分も将来、こういう店をやりたいんです」と熱心に何度も通えば経験を聞かせてくれる人もいるはず。ところで、そうやって通ううちに相手の事情もあれこれわかってくる。「いい物件があるんですが、もう一軒店を出しませんか」「ここより広くて家賃も手頃なところに移りませんか？」という営業もできるのではないか。

これで、将来の目標と、目の前にある目標（営業のノルマ）とが潜在意識の中でしっかりつながりました。やりがいも、成果も違うはず。

上から与えられた目標でも、自分でしっかり納得することが大切です。

「もともと営業なんて向いていないのに、どうしてこんな部署にまわされたのか納得できない」「この不況下に、こんな営業目標を立てるなんて、上の考えることは納得できない」と思うかもしれない。納得というのは別に、経営者の身になって納得せよというのではありません。そんなことはいくら考えたって、納得がいかないでしょう。

「自分は目の前の仕事を通じて何を得るのか」を納得すること、「このハードな経験を次に生かすぞ」と納得することが必要です。

どう考えても得るものがなく自分をすり減らすだけだ、こんな商品を無理やり売りつけるなんて間違っている……などと感じるなら、そんな会社には見切りをつけてしまう。

逃げるのではありません。ただ逃げたとしても、次の場所で同じつらさに出会うだけです。自分が何をしたいのかが大切。自分の描く未来と、会社の未来とがどうしてもつながらないとしたら、無益なことに自分を消耗するのはやめ、自分の力を出せる場を真剣に探せばいい。

自分が本当に実現したい目標をきちんと確かめた上で、具体的な行動を始めるのです。

●いくら営業しても断られるので気が重い

〈消極的な自分から積極的な自分になる法〉

営業の中でも一番シビアなのが飛び込みです。アポイントメントも何もなく、いきなり訪ねていって営業する。私も社会人になった当初、飛び込みの営業をさんざんやらされました。商品のパンフレットなどを持ってあちこちの会社を回るのです。

うまくいかないパターンというのは、だいたい決まっています。たとえばオフィス用事務機器の営業だとする。出かける前から「断られるの嫌だな」「みんな忙しくて話を聞くどころじゃないだろうな」「不景気だし、行ってもムダだろうな」と思いこんでしまっている。それでもどこかの会社の名刺をもらってこないと上司に叱られるから、一時間ばかり喫茶店で時間をつぶしたあげくに、ようやく腰をあげる。

会社のドアの前に立ったときにはすでに、潜在意識は「断られるに違いない」というイメージでいっぱいです。だから、動きがすべて消極的な方に向かってしまう。

ドアをノックする音にも力が入らず、勢いのない声でボソボソと「あの、すみません、〇〇のことでちょっとお話を……」とつぶやく。「何？　聞こえないよ。誰かきたの？」と言われて、亀のように首をすくめながら、「あの～、お忙しいところすみません」「ほんと忙しいんだよ。なんかの営業？　話聞いてるヒマないよ。名刺だけ置いてって」ということになる。「すみませんでした……あの、失礼します」とすごすご引き下がりながら、がっかりするのと同時にどこかホッとしている。

悪いイメージの通りになったのだから、ある意味で潜在意識は目的を達して「ほら、こうなっただろう」と納得しているのです。そして、「やっぱり営業には向いてないなあ」「また同じことをするのはイヤだなあ」と、消極的な考えばかり浮かぶようになります。

積極的な自分へと潜在意識のスイッチを切り換えるには、イメージを使うことです。

ドアをノックする前にまず、成功するイメージを具体的に描いてみる。一度で売りこめることをイメージしなくていいのです。とりあえず自分を印象づけること、次への手がかりを作っておくこと、この人を相手に売りこみを展開していこうという目星をつけること……こういった第一段階を目標にイメージしておけばいい。

社名のプレートなどを見ながら、どんな雰囲気の会社だろう、と予想してみる。外から見たら窓が大きかったから、かなり開放的なつくりかもしれない。大して広くないはずだから、机の配置はコの字型？　応対に出てくるのは、女性か、男性か？　まるでいつも出入りしているかのように「こんにちはー」と堂々声をあげてみようか。相手は、この人誰だったかな、と一瞬考えて、きっと自分より小さな声で「えーと、なんでしたっけ？」という感じになる。「あ、どうも。○○です」と元気よく声をかけながら、周囲の様子をざっと眺めよう。そしてまずは自分の位置を決める。ドアにくっつくように立っていてもしかたないから、どんどん中へ入っていこう。周囲に存在をアピールするには、どのあたりに立つのがいいかな？　机の並んでいる端っこ？　名刺を出すのは落ち着く場所を決めてからにしよう。

できればじっくり話をしたいなあ。よし、とにかく座ることを今回の目標にしてみよう。だけどアポもないし応接セットは無理か……それなら、あいているイスに遠慮なく座ってしまったらどうだろう？　ヒマそうな人の隣にそのイスを持っていこうか？　いや待てよ、手持ち無沙汰な社員は窓際族で決定権がないかもしれない。では誰を狙おう？　奥の正面あたりが偉い人かな？　そこで話し始めれば、うまくするとお茶の一杯でも出してもらえるかもしれないな。そうだ、昨日顔を出した会社のこんな話題をふってみると、少し興味を引くのでは？　それともあの話はどうだろう？……

こうやって、あれこれ考えてみることで、潜在意識は目的に向かって活発に動き出します。自然と目に力がこもり、姿勢もピンとして、声に張りが出るようになります。

当然、中の雰囲気も、応対に出る人の感じも、そして反応も、予想とはまったく違うかもしれない。けれども頭と体が積極的な方向へ動いていれば、「あ、違ったな」と新しい材料をキャッチして潜在意識がさらに刺激されます。「では、どう攻めようか」と考えたり、「この配置になっているということは、キーパーソンはどこかな？」などと状況判断が始まるはず。何も予想していないのと、予想が違うのとでは、格段に差がつくのです。

もともと潜在意識には目標を修正していくフィードバック機能がそなわっており、予想（目標）をたてて、現実との差を認識し、より目標に近づこうとする。予想（目標）と現実が違ったりしてもいいのです。これを私はメンタルのフィードバック機能と呼んでいます。

「どうしたらいいかな？」と、目標に向けての積極的な疑問に動かされているから、訪問先の会社に自然と興味がわきます。その姿勢は相手にも伝わるもの。「あ、こちらは○○を扱っておられるんですね」「近頃、どうですか？　先ほどの××社では、こんな話も聞いたんですけど」「御社でも、今はこのへんのところが苦労されてる点でしょうかねえ」と質問も出てくる。雑談の中で、会社の事情を頭に入れていく。とりあえずこの人にアプローチしよう、と決めた相手の名刺をもらい、どんなタイプかも頭に入れる。相手も自分の顔を覚えてくれたはず。そこでおもむろに、「あれこれ勉強になるもんで、つい長居して……お時間とらせました。じゃ、また寄らせてもらいます」とサッと席を立つ。周囲にも、「○○です。お騒がせしましたー」と、もう一度アピールしながらドアに向かう。

会社を出たら、もらった名刺に気づいた点をメモしておきます。これは次の目標を立てる材料になる。そうやって何度か通ううちに、「このやり方なら経費も節約になりますよ」「効率が全然違います」と商品を売りこむ糸口を見つけるのです。

この例を一つのヒントにして、自分の個性を生かした営業ノウハウを編み出してみる。自分ならどうするか？　とまずはイメージしてみることです。イメージすることで、積極的な自分になるためのスイッチが入るのです。

●あれこれ気になって、ちっとも集中できない！

〈仕事の効率を上げる法〉

この書類を片づけなければいけないのに、つい別の書類のことを考えている。読んでいるはずが実はちっとも頭に入ってこない。面倒な仕事をやっつけなければいけないときに限って、なぜか机の上のホコリが気になり掃除を始めてしまったりする。隣の同僚の電話の内容も気になりだす。そんなふうに、目の前のことに集中できず、どうにもシャキッとしまらない日というのがあります。

あまりに気が散るのは、本当は目の前のことを「やりたくない」理由があるのです。たとえば単に、どこかから回ってきた書類の書き方がへたくそで意味がとりにくい。だから読む気が起こらないのかもしれません。あるいは、自分の思い通りにならない企画に不満を持っているのかもしれない。

「集中して読まなきゃダメじゃないか」と自分を叱らずに、「こういうわけで読みたくないんだな」とまずは認める。

そしてリズム呼吸です。

やりたくなかろうとやらなければいけないのなら、引き伸ばすだけ負担になる。だから「やりたくないが、とにかくやってしまう」という方向に気持ちを切り換える。

ところで余談ですが、集中力というものには大きく二つの誤解があります。

仕事の間、ずっと集中を維持しようなどというのは無理。人間というのは、長く集中し続けることはできません。たとえば二時間一心不乱に仕事をしていたとして、本当に集中しているのはものの数分。あとはその余韻です。一日の仕事のうちでどこに集中の山場を持ってきて、その余韻でどこまでいくか、そんなことは意識でコントロールできません。「何をやるのか」というイメージさえしっかりしていれば、潜在意識がうまく調整してくれるのです。

もう一つの誤解は、集中とは一つのことだけ考えて他のものはシャットアウトしている状態なのだというもの。これは一極集中という段階です。

別の集中もあります。拡散集中とでもいえばよいのか、あらゆる状況をキャッチしながら、かつ目的に向かって集中している状態です。よい例が、サッカーの中田英寿選手。彼はプレーしながら始終首を左右に振っている。今、敵がどこにいて味方がどこにいるのか、パッパッと見ながら常に情報をキャッチしているのです。だからボールが来たときには即、動きがとれる。もしもボールだけに一極集中している状態だとしたら、こうはいきません。

人はたいていの場合、まずは一極集中から入り、潜在的な力が発揮できるにつれて拡散集中へと向かいます。これはただ座ってトレーニングしたから得られるものではない。さまざまなプレッシャーを経験しながら目標を常に確認することで、みがいていく力です。

もう一度まとめておきます。

仕事の効率を上げるには、「実はやりたくない自分」を否定しない。その上でリズム呼吸して「今すべきこと」を確認し、同時に「すべきことに集中する自分」への切り換えを行う。あとは「集中しろ、集中しろ」などと意識せずに、目の前の仕事を一つずつやっていけばよいのです。

●「うっかり忘れ」でいつも失敗する

〈ポカミスをなくす法〉

A君がコンピューターに向かっていると、課長がやってきて、続けざまに三つ仕事を出しました。「これは今日中に。それからこっちの報告書は明日までだ。Bさんにもファックスを流して確認をとっておいてくれ。あと、例の件もできるだけ急いでくれないか。忘れないでくれよ」……確かにA君はポカミスが多い。課長からも、「毎日必ず一つは忘れる。どうしてだ！」と怒られているのです。

A君は心の中で、「忘れちゃダメだ、忘れちゃダメだ」と自分に言い聞かせながら課長の話を聞いている。これは逆効果です。忘れてしまう自分なんだ、忘れたらどうしよう、と思っているため、課長の話の途中で耳が拒否してしまうのです。「これ以上言われたら、自分のキャパを超える。二つまではいいけど三つめはダメだ。もう聞きたくない……」。

そして案の定、数日後に「あれ、できてるか？」と言われて青くなるのです。

ポカミスをなくすためには、まず仕事を頼んできた相手に、「これとこれをいつまでにやるんですね」と復唱して確認すること。

このときに、仕事の意味もつかんでおきます。「この書類は来週の会議のため。会議の目的は○○の問題の解決」といったように、出された仕事が全体の流れの中でどんな意味を持つのか、具体的につかんでおくのです。目標がハッキリしていれば、それに関連した情報は頭の引き出しに整理されてきちっと収まる。何のためにこれをやるのか考えていないと、「あれをやってくれ」「これをやってくれ」と次々ふってくるものが、頭の中で散らかり放題。これでは一つや二つ落としてしまうのも当たり前です。

次に、メモをとること。あちこちに書き散らしたままでなく、スケジュール帳に「いつまでの仕事」というリミットごとに項目を書き写し、終わったものをチェックします。

最後に、イメージすること。これがもっとも効果的です。スケジュールを書き込むときにただ文字を並べるのではなく、「電話をかけている自分」「資料に目を通している自分」「書類をつくっている自分」などをパッパッとイメージしておくのです。

これでポカミス対策は万全です。

●仕事が超多忙でパニック！
〈冷静さを取り戻す法〉

機械のトラブルがあり、今日中に何とかしないと取引先への納入が遅れてしまう。明日は監督署の検査も入るのに、そのためのチェックができていない。そこへ別の仕事で大幅な変更が入り、人員を割かなければならない。あたふたしているところへ、以前納入した製品への苦情電話が入ってきた。すぐに誰かをやって事情を確認しなければ。あいているのは……誰もいないじゃないか！　もうパニックです。

パニックというのは、問題に取り囲まれて「どうしよう、どうしよう」と右往左往するばかりで、次の一歩が踏み出せない状態。必死で考えているようでいて、実は今まず何をすべきか考えられなくなっているのです。

こんなときは、まずリズム呼吸。自分の様子を上から眺めているところを想像してみます。自分を導く賢い存在になったつもりで、「この人間は一体どんなことで困っているんだろう」「どんな助言をしてやろうか」と考えながら状況を見てみるのです。

問題の只中にはまっているときは見えなかったものが、問題の外に出て客観的になってみると見えてきます。何からどう片づけていけばよいのか、答えが見つかるのです。人は誰でも、自分のことでなく他人事なら客観的に考えられるもの。たとえば自分の仕事が終わっていて、同僚が残業でバタバタしているのを見ると、「こうやれば効率的なのにな」と思ったりするもの。

冷静さを取り戻すもう一つの方法は、1章にも紹介した「実況中継」です。

「焦っております。焦っております。また時計を見ました。果たして間に合うでしょうか」と心の中でアナウンス。不思議なことに「焦るな、落ち着け」と言い聞かせるとよけいに慌ててしまうのに、「焦っております」と他人事のように認めてしまうと、冷静さが戻ってきます。

「さて、まずはAの件の進行具合を確かめることにしたようです。AのメドがたてばBのために助っ人を出せるというわけですね。なかなか賢い判断です」など、状況が整理できるまで心の中でアナウンサーにしゃべらせるのもよい方法です。

●段取りが悪くて仕事があふれてしまう

〈要領よく、手際よいアタマの整理法〉

次は、優先順位のつけ方です。

仕事があふれてしまい、どこから手をつけてよいのかわからない場合、まずは項目をすべて書き出してみる。順序はどうでもかまいません。手配しなければいけないこと、話し合わなければいけないこと、確かめなければいけないこと、決定しなければいけないことなど、すべて書き出す。書いているうちに「そうだ、これもやらなくては」と思い出したものも加える。

この項目を、「急ぐもの」と「重要なもの」という二つの基準でチェックしてみる。

正確を期すなら、例えば五件のトーナメント表を作って、①と②ではどちらが急ぐか、②と③ではどちらが……と勝敗をつけていき、同様に①と②ではどちらが重要か、②と③では……と検討して、ランクづけをする。数が多いものほどランクが高いわけです。

パッと見てランクの判断がつくならそれでOKですが、いずれにしても書き出すという作業が大いに役立ちます。

緊急性と重要性のランクづけができたら、それをグラフ化する。0地点から遠いとこから片づけていく。

こうやって順序だててからとりかかることで、リズムができてくる。

たいていの場合、人間がかかえている問題は相互にからんでいるものです。たとえば一○件やるべきことがあったら、そのうち重要かつ急ぐもの三件を片づけると、他の問題の解決の足がかりもできていたりする。実際は五割ぐらい完了したも同然ということが多いのです。こうなれば、あとはあっという間です。

優先順位を見分けるアタマの整理術

書き込むフォーマット

書き込み例

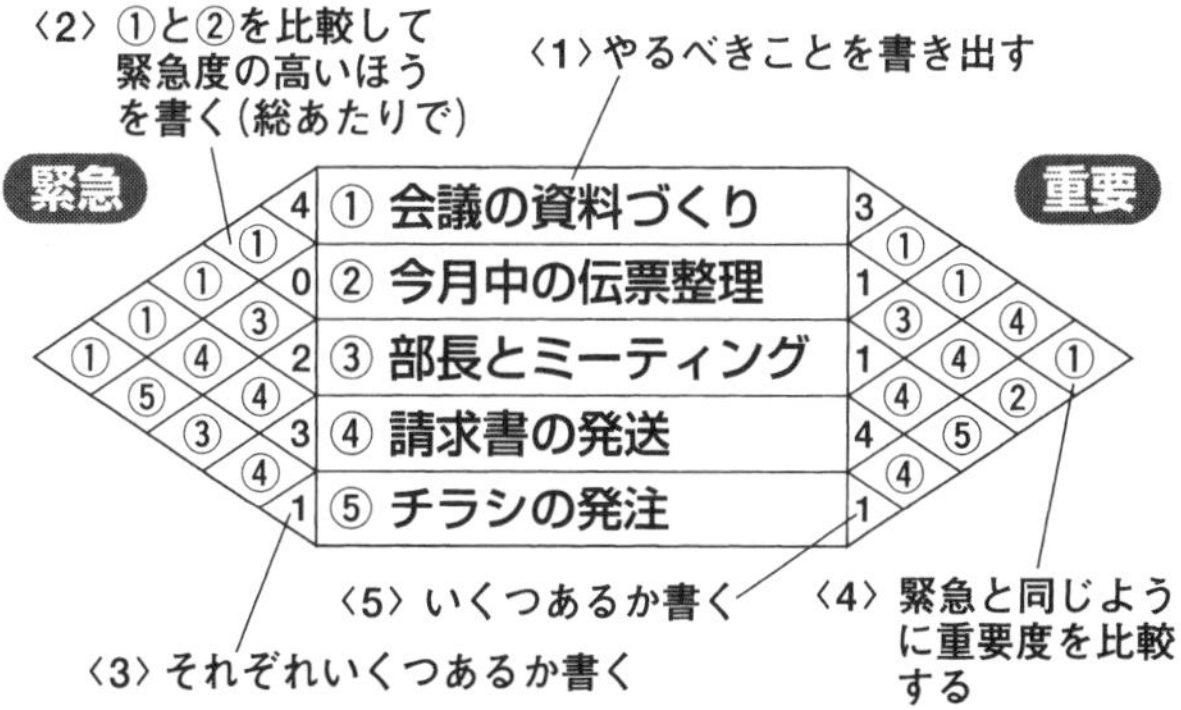

①～⑤の数をグラフ化

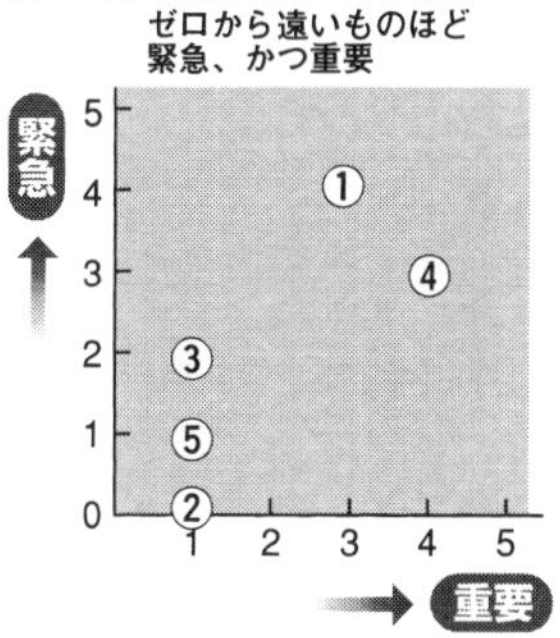

ゼロから遠いものほど緊急、かつ重要

●自分の企画を通せる自信がない

〈アピール力を発揮する法〉

企画会議でうまくアピールすることができない。説明にどうもインパクトがないし、質問されるとうろたえてしまう。自分は話し方が下手だからいつまでもチャンスをつかめないのか？　あるいは企画のツメが甘いからいけないのか？

そんなふうに悩んでいるとしたら、アピールのコツがあります。

まず前提として、どんな企画でも、最初から完璧ということはありえない。そのことを覚えておいてください。うまみがある反面、考慮すべきリスクがあったり、実現にこぎつけるためにクリアしなければならない問題があったりする。スタートしてみなければわからないことも多いもの。

けれども企画が通らないことにはスタートのしようもない。ではどうしたら？

誰かを説得するときのポイントは、相手の潜在意識に訴えることと、相手の論理を使うこと。それが基本です。意識だけでぐいぐい押そうとして、「この企画は絶対成功します」などと繰り返しても効果なし。何事でもそうですが、いいことばかりを並べ立てると、相手の潜在意識は悪いところを探し始めるのです。「そうはいうけれど、こういう場合はどうなるんだ?」と疑いを持つ。だからあらかじめ、自分の企画の落とし穴や盲点をよく知っておき、それをどのように扱うかが戦略の見せどころです。

こんなリスクも考えられるが、それを避けるにはこのような手段がある……と説明ができるものはいい。突かれると答えようのない盲点もあります。たとえば、始まってみないことには何とも言えない。あるいは、今の段階ではどう考えても対策を思いつかない。こんな聞き方をされたら答えに詰まってしまう……。

この「究極の盲点」を突かれないようにする方法があります。行ってほしくない場所があるのだから、別の場所にたくさんエサをまいておき、そこへ誘導するのです。どういうことかというと、このへんまでなら答えられるという質問を、自分の持ち時間に合わせていくつか想定しておく。これは別に会議で配る企画書にQ&A形式で書いておく必要はありません。相手の潜在意識に訴えるのですから、その場のやりとりで持っていくことが重要。表立って書いたりせずに、自分の中で質問を想定し、準備しておくのです。そして、想定した質問が出るような話し方を工夫します。

企画の説明をするときに、どこからどこまで流れるようにうまくやる必要はない。むしろ、ところどころ話が飛躍したり、妙に強調したり断言する部分をわざとつくります。質問を想定したところで、それをやるのです。

たとえばコストについて散々悩んで解決策を見つけているとする。そのかんじんなところを、ちょっと飛ばしてみる。「問題はコストだと思いますが、それについてはもう、とにかくグッと削減するとしまして……」などと言ってのけてしまう。鋭い上司がいれば、そこですかさず「オイ、どうやって削減するのかが大事だろう」と指摘してくるはず。あるいは、その先まで説明がすすんだところで、「何か質問はありますでしょうか?」と言ったら「さっき気になることがあったのだが」と手があがるかもしれない。こうやってエサにひっかかってくれればしめたもの。

「さすがは部長です。実は我々も最後までその点に悩みまして、やっと解決策を見つけたところでして、企画書には書いていないのですが、説明してご判断をいただきたいと思います」「いい質問をありがとうございます。まさにその点がかんじんでした。ご説明します」などと言って答えるのです。

あるいは、Aの展開も考えられるが、それと同じぐらいBやCになる可能性も当然思い浮かぶ、というときに、それぞれの対処を考えておいた上で、話をとばしてしまう。たとえば「ここで仮に、Aのようになったとします。そうでない場合もあるわけですが、それはちょっとおいておきまして、Aだとすると○○のように対処できるわけです。えー、さて次の段階ですが……」ともっていってしまう。そこで「ちょっと待ってくれ、そうは言うけどBになったらどうするんだ？」「Cのようなことも起きるんじゃないですか？」と想定どおりの質問がくる。

質問するということは、自分が会議に参加している意味があったという満足感や、「盲点を見つけてやったぞ」という優越感を相手の潜在意識に与えます。そこで、「あっ、その点にやはりお気づきになったんですか。実は我々、最後の段階でようやく気がつきまして、それについていろいろ考えたんですが……」「○○さん、いい質問をいただいて助かりました。確かに問題はそこなんです。実は対策として……」など、質問者をもちあげつつ、きちんと相手の疑問に答えていく。

すると相手の潜在意識は納得し、「この企画にかけてもよさそうだ」という信頼感が生まれます。「他にもまだ、いろいろと問題は出てくると思いますが、今のように皆さんの指摘をいただいたり、お力を借りながら、成功に持っていきたいと思います」と話をしめくくる。これで究極の盲点を突かれないですむだけでなく、活発な話し合いが盛り上がった企画ということで、その分、会議を通りやすくなる。思うような質問が出なければ、「最後に、ちょっと補足して説明します。お手元の資料にはありませんが、重要な点ですのでぜひご意見を仰ぎたいと思います」と言えば、そこで注目を集められます。

では、予想外の質問が出たり、これだけは突いてほしくないという質問が出たらどうするか？　下手に取り繕うよりも、「まさにそこなんですが、実は現時点での課題です」「それなんです！　その点について、この場でご意見をうかがいたかったのです」などと正直に言えばいい。むしろここで教えてもらおうというぐらいの熱心な姿勢を見せてしまう。相手は決して悪い気はしません。これまでの質疑応答の流れがあればなおさら、「こいつなら、きっとなんとか解決するだろう」と信頼感を持ってくれるはず。

●いい企画が思いつかないから、企画会議が憂鬱

〈アッと驚きの発想力を出す法〉

まずは私の経験から。人間関係で悩んでいた当時も、工夫することだけは自信がありました。学生時代に後楽園球場、つまり今の東京ドームでビールの売り子のアルバイトをしていたのですが、一缶売れば二〇円、というような歩合制で、私は「ビール売り王」というあだ名をもらいました。そのときの話です。

なんといっても巨人戦ですから、観客は常に満員。五時半になると、ビールメーカー各社の売り子がいっせいに、二四缶入りの重いケースをかかえて飛び出していく。通路は売り子でいっぱいです。その中で人に負けない大声を張り上げるのは私にはできない。第一、売り子がずらっといるところでは大して売れない。どうしたらいいか？

他の人が考えないところに行けばいいのです。みんなが通路に向かって我先に走っていくとき、一人で階段をダダダダッとあがる。めざすは内野スタンドの立見席。

こんなところは混雑していて迷惑なのでは、とふつうは考える。そこがミソです。実はあそこに立っている人たちは身動きもできないぐらいで、ビールを買いにも行けない。すぐ前の座席の人たちも、買いに行くと席を取られてしまう。階段を上がる私の姿が見えたところで、もう手が挙がり始めます。立見席の端っこで「ビールいかがですか」と言ったとたんに、横一列にダーッと手が挙がる。「すいません、すいません」と言いながら入っていけばいいのです。

たいていはワンケース持って売り始めるわけですが、上ったり下りたりが面倒で、私は二ケース、三ケースと抱えていくようになりました。それがすぐ売り切れてしまう。人が行かないところに行く、第一のコツはそれだったのです。

企画の場合も、「これは売れないだろう」などと決めつけず、自由に発想してみることが大切。誰が考えても無理だと思うところに、宝の山があることが多いのです。箸を使わない国でラーメンを売る、という無茶な思いつきからカップヌードルの大ヒットが生まれたし、録音できないカセットなど誰も買わない、というところからウォークマンが生まれました。「売れるはずのないもの」を売るにはどうしたらよいかと考えてみるのです。

では、かんじんの発想力をつけるには？　何を見ても、どこに行っても、「自分だったらどうするかな」と考えてみることです。レストランに入ったらガラすきだった。「もし自分だったら、このスペースをどう生かすか？」。ニュースで大企業のリストラをとりあげていた。「もし自分がここの社長だったら、どんな対策をとるか？」。彼女とスキー場に行った。「もし自分だったら、ここをどんなリゾートにするか？」……。

世の中のしくみというのは、すでに決まっていて動かせないものではなく、あなたと同じ人間があなたと同じように悩んだりこだわったりしながら、つくってきたものです。与えられたものの中でしかたなく生きるのではなく、「自分だったらどうするか」「これをつくった人はどう考えたのだろう」と一歩踏み込んで考える。そのクセをつけることで、あなた自身が世の中に新しい流れをつくることもできるのです。

ふと思いついたことは、何でもメモする。一見くだらない思いつきでも、そこから意外なアイデアが発展することもあります。ただの思いつきに終わらせず、「もしこうやったとして、コストはどれぐらいだろう？　いくらで売る？　どうやって売り出す？」と、実現の可能性を詰めてみる。発想することがだんだん楽しくなってきます。

●理屈が苦手で、取引先にうまく説明できない

〈感覚人間から論理人間になる法〉

順序だてて話したり、ポイントをあげたりするのが苦手な人がいます。思いはあふれているのだが、話はあっちからこっちへ。だから理屈で話す人の前ではたじたじ……。

けれど基本的には、理屈より感覚が先にくるというのは非常に大きな力です。メンタルトレーニングではむしろ、論理で固まった頭の回路をちょっと変えて、鈍っている感覚を取り戻すことを考える。イメージもその手段の一つです。

とはいっても、この社会の中では、いかにもわかっていそうな理屈を組み立てられないために、損をしてしまうことも多い。

論理というのは、人が積み上げてつくってきたものです。だからまずは、周囲の人からみようみまねで盗めばいい。たとえば商品説明がうまくいかないなら、先輩や話のうまい同僚にここぞと狙いを定めてお手本にする。営業場面にくっついていって話し方をよく聞

く。電話で用件をパッパと話すのが苦手なら、電話の上手な人の話し方に注目する。それを真似して台本をつくってみます。

最初にこの説明から入るんだな、次にこういう例をあげて……とお手本どおり台本化するのです。文章でも箇条書きでも図でもいいから、自分なりに書いてみる。

次は、自分だったらこの台本をどう演じるかを考えます。どこで盛り上げるか？　どんなエピソードをもってくるか？　感覚派の人は、しっかりした筋書きさえあればそれを生き生き演じるのは論理人間よりもずっと得意なはず。演じている自分のイメージをつくっていくうちに、自分なりのストーリーができていきます。こうなったら誰にも負けません。

もう一つの方法は、論理派の人とチームを組むことです。

下ではしごをがっしり押さえるのは論理派の人、そのはしごを上って華やかに演じるのは感覚派の人……という組み合わせで成功を収めたケースはたくさんあります。たとえば本田技研の本田宗一郎はまさに感覚派。片腕であった藤沢武夫さんが経営的なシナリオをつくったことで、本田さんの技術が世界に通用するものとなったのです。

どんな目標でも、一人だけで実現することはめったにありません。周囲の後押しや手助け、息の合う仕事仲間と出会ってチームが組めること、格好のチャンスが訪れることなどで、自分の行動がうまく波に乗っていくことが必要なのです。

これはすべて運次第だと思うかもしれませんが、そればかりではない。重要なのは自分の求めているものがハッキリしていることです。すると、潜在意識のアンテナが盛んに信号を送り始める。「私はこれがやりたいんだ」「必要なのはこういう情報だ」「こんな力を持った人と一緒にやりたいんだ」ということが、自然と周囲に伝わっていくのです。こうやってアンテナから信号が出ていると、メンタルの受信・送信の法則により不思議と人が呼び寄せられてくる。求めていたことがどんどん起きたりする。潜在意識の明確な目標が、いわば運を引き寄せるのです。

似たような目標を持った人が、この信号をキャッチして反応を返してくる。どんな分野でも、仕事上の名コンビというのはこうやってできていくのです。さらに言ってしまえば、夫婦の場合でもうまくいくカップルはこうした出会いを経験しています。

チャンスというのはただ待っているものではなく、積極的に招き寄せるもの。成功した人は、この潜在意識の法則を自然とつかんでいて、うまく活用しているのです。

●部内の士気があがらない。心がバラバラ……

〈チームで成功を手にする法〉


　組織やチームの目標達成にも、イメージが大切です。「こうしたいんだ」という目標と、「どうやってそこにたどりつくのか」という手段が、はっきりしたイメージとして共有されているとき、複数の人がそこに向かって動くことができるのです。

　私は昨年、ダイエーホークスのメンタル・トレーナーとして契約して三年目でした。一年目は新人の選手だけ、二年目は一軍投手陣一人一人の課題について相談を受け、三年目にはキャンプや試合にもすべて同行しチーム全体とかかわることになりました。

「今年は何が何でも優勝を手にする」……それがチームとしての目標でした。

　私はまず、チーム内でのコミュニケーションの調整に焦点をおきました。これについては次の「人間関係編」でエピソードを紹介します。七月からは、目標に向けてのイメージを共有することを一番の課題にした。そこで、こんなことをやったのです。

チームの全員に、「どんな形で優勝するか」をイメージして文章に書いてもらい、無記名で提出してもらう。たとえば「このまま連勝を続けてイッキにいく」とイメージしている人もいれば、「優勝争いは土壇場までもつれこむが、結局は粘り勝ち」と思っている人もいる。「八月は中だるみがくるかもしれないから、今のうちにガンガンいくんだ」と考えている選手と、「今はまだ乗り切っていないが、八月になればもっといい流れになる」と予測している選手がいたとしたら、目の前の試合への力の出し方にズレができます。思い切り出し切る人と、セーブしている人とで、勢いが相殺されてしまう。

案の定、書いてもらったイメージはバラバラでしたが、三割が似たような筋書きを予測していました。そこで、このイメージを全員で共有するトレーニングをしたのです。

優勝経験のたくさんあるチームというのは、イメージの共有が自然にできています。長いシーズン中には勝負全体の流れというものがある。「この試合だけははずせないぞ」「この一番でチャンスをつかめば次は腰をすえてかかれる」といった暗黙の合意ができているチームが、勝負の流れをリードします。あとは一人一人の力量ですが、昨年のダイエーの場合は優勝してもおかしくない戦力がそろっていたわけですから、その一人一人の力の配分が全体としてのリズムをつくりだせばよかったのです。

その年の四月に亡くなられた根本球団社長の墓前に「優勝を報告しに行くんだ」という思いや、「今年こそは王監督に優勝を」というかけ声も、チームとしてのまとまりをつくりました。目標を潜在意識に刻むためには、こうしたシンボルの存在も大きいのです。

さて、会社の場合は、課内で集まってイメージトレーニング……というのもちょっと難しいかもしれませんが、顔を合わせてのミーティングは同じような意味で役に立ちます。ただ伝達事項を順番に述べて終わり、ではなく、「目標と今とをつなげる」ための作業としてミーティングを位置づけるのです。

仕事のチームとして、今期の目標は何なのか。

その達成のために一人一人が今どのように動いているのか。

我がチームは目標への道のりのどこにいて、今後どうしようとしているのか。

こういったポイントを意識的に明確にしていき、情報とイメージを共有するのです。それぞれがバラバラのイメージで動いているのに比べて、全体としての効率も成果もぐんと違ってきます。

●倒産・リストラも人ごとでない。明日は我が身?

〈不安を図太さに変える法〉

ほんの一〇年前には終身雇用が当たり前の社会だったのに、最近ではどんな大企業に勤めていようと先のことはわからない。リストラ、倒産、何が起こってもおかしくない時代です。

「もし倒産したらどうしよう?」「リストラされたら?」という不安に襲われることがあるかもしれません。

こういう不安を拭い去る必要はない。ありうることだし、心配して当然のことなのですから。不安に思うことから危機管理能力が生まれます。不安を否定しようとしたり、不安から逃れようとするから、むしろ潜在意識では不安がふくらむ。正体のよくわからない不安に自分をコントロールされることになるのです。

まず不安になっていることを認めた上で、実際に起こりうるケースを想定してみる。

そのとき、自分はどう対処するのか？　今までやってきたことを生かせる別の場所を探すのか、それとも新たなものを身につけるのか？　今はどんな準備ができているのか？自分の思うような対処を取るために必要なものは何か？

そうやって考えておくことで、いざ危機がやってきたときの対処が違ってきます。むしろ危機をチャンスにすることもできる。

大切なことは三つ。

現実をしっかり見つめてスタートラインを確認すること。

その現実に引きずられず、本当に自分のやりたい目標を持つこと。五年後、一〇年後の自分はどうなっていたいのかというイメージです。

最後に、目標と今の現実とをつなげる手段を考えること。

これができるかどうかが勝負です。最近新聞などに、会社人間を脱してユニークな仕事を始めた人のエピソードがよく紹介されていますが、それは特別に恵まれていたり能力が秀でていたというわけではなく、将来の自分をイメージしてそれに向かって行動できたという違いなのです。

●働くことに疲れた。仕事を続ける自信がない

〈心の活性を取り戻す法〉

中高年の自殺が増加してニュースになっています。

体の疲れを癒すには物理的に休息をとることですが、心のほうは休んだから元気になるというわけにはいきません。これは勘違いが多い点。心は「休ませる」ことではなく「生き生き働かせる」ことで、元気を取り戻すのです。たとえば何かに感動したとか、いい出会いがあったとか、そういうことです。

まず、心が疲れてしまう要素は三つ。自分のリズムで生きていないこと、力の出し方が有効でないこと、楽しめていないことです。

まずはリズムの話から。

うつ状態や燃えつきにおちいりやすい人というのは、非常に律儀です。ノーと言えない。すべて引き受けてしまう。あれもこれも背負ってしまう。自分のリズ

ムを殺して周囲のリズムで生きてしまうから、苦しくなるのです。

「こうしたい」というよりも「こうすべきだ」という考え方が強くなるのも、自分以外のリズムで生きている現れ。何が正しいかという答えが常に一つなので、他の選択肢が考えつきません。一つしかない道が行き詰まると、お手上げになってしまうのです。

次は力の出し方。

日本人の損なところは、「働け、働け」「がんばれ、がんばれ」と緊張状態をずっと自分に強いてきて、いざ本番で大事な時に、「緊張するな、リラックスしていけよ」とわけのわからない指令を出してしまう点。これでは心も体も無理ばかりで疲れます。

根性論とかっこつけが伝統なのでしょうか。スポーツの世界でも、それがありありと出ています。だから、必死で練習しているわりに、本番でいい結果が出ない。すくんでしまう。そんな自分を責める。ますます力が出なくなる。一方で、こうした古い伝統に縛られない若手の選手が世界を舞台に活躍を始めているのも、なるほどとうなずけます。今まで述べてきたメンタル・トレーニングは、まさに力の出し方を訓練するものです。

最後に楽しむことについて。

これは趣味を見つけろとか、高いお金をかけて海外旅行に行けとか言っているわけではありません。自分は何を楽しめるか、何に夢中になれるか、ということがかんじんです。自分が楽しめていれば、たとえば長時間労働でも疲労ではない。体は疲れますが、心にとっては疲労ではなく満足感なのです。

生きることを楽しむには、「こうなりたいんだ」という自分の目標に向かっていることが一番です。「こうしなくちゃ、こうならなくちゃ」と努力を重ねているのとは違う。あくまで「こうなりたい」が重要なカギ。それがあれば、あれこれ発想するのも楽しい、情報を見つけるのも楽しい、人と出会うのも楽しい。

もちろん、いつも楽しめるとは限りません。人には毎日を自然に過ごす自分なりのリズムがあるのと同じように、力を発揮していくための人生の周期というものもある。「どうしたらいいんだろう」「どうなりたいんだろう」とひたすら悩む時期も必要なのです。だから、「今楽しくない自分はダメだ」と思う必要はないし、楽しまなくちゃと無理に努力しなくていい。今の自分はちっとも楽しくない。それを否定せずに認めてこそ、楽しい自分になりたいんだという気持ちのエネルギーも生まれてきます。

3 人間関係編

〜なぜか他人とうまくつき合えない自分から脱却する〜

目標の中には自分一人では実現できないものもある。実現の手段も、チャンスも、周囲との関係の中で見つけることも大切です。

ところが、かんじんな人間関係がネックになってしまうことも多い。

これればかりは、しみついたパターンを変えるのは難しいし、第一相手があるのだから、たとえ自分だけ変わってもうまくいかないのは同じ……と思っていませんか?

実は違う。方向をちょっと変えてみるだけで、相手との関係は変えられます。相手を変えようと思わなくてもいい、関係が変われば、あなたを取り巻く状況は大きく動くのです。

ここでも仕事場面を中心に、やっかいな人間関係を打開する方法をズバリ紹介します。あなたの目標達成ができる環境を整える役に立つはず。

●ワンマン上司に言い分を聞いてもらいたい

〈コミュニケーション力・説得力を発揮する法〉

たとえば何か問題が起きた時に、一方的に「こうするんだ」と答えを与えるのではなく、「君はどういうふうに考える？」と聞いてくれる。その上で、上司の今までの経験をもとに「こういうパターンもあるし、こういうことも起こりうる」と材料を出して、また考えさせる。即やらないとまずい部分だけはしっかりフォローして、そのやり方を部下に見せる。……こういう上司であれば、部下の考える力が育つし、余計な苦労はいらない。

しかし、部下のほうで工夫が必要な上司のタイプがあります。

自分でバリバリ仕事ができて、「誰だってこうすべきなんだ」「どうしてできないんだ」と考えがちな「ワンマン上司」。そして、その逆の、何の指示も出さずもちろん自分でも動かず、責任を負うことからも逃げているという「のらりくらり上司」です。

ここではまず、ワンマン上司とのつきあい方から。

ワンマン上司は、自分の技量と努力で実績を積んできたタイプに多い。

たとえば王貞治監督。何しろ世界のホームラン王、誰にも真似のできない記録を残した人ですから、「こうやればできるんだ」という自分のセオリーを強固に持っている。ところが選手のほうにしてみれば、あの王選手に憧れて野球を始めた人も多いわけで、この人は自分とは違う、この人にできたとしても自分には無理、と考えがちです。監督のほうはますます「どうしてできないんだ」という思いがつのり、自分のやり方をこれでもかと貫こうとする。こうなってくると監督と選手とのコミュニケーションのギャップができます。

具体的な例をあげれば、オフのとり方の問題です。監督は、試合に負けるとすぐにミーティング、そして休日返上の練習。監督としては、選手自身がプロとして負けたことのくやしさを練習にぶつけて、さらなる向上をと考えてのことですが、選手にとってはそれがとまどいの種でした。そして無意識のうちに力をセーブしてしまう。

私はまず、休みも必要だと意見を言うのではなく、「こちらもまだちょっと理解不足なので、なぜそういうふうにお考えかというのを聞かせていただけませんか」と切り出しました。すると監督は、「実はな、巨人時代にこういうことがあったんだよ……」と今までの経験をいろいろ話してくれる。「あっ、なるほど。だからこういうときにはこうしたほうがいい、ということなんですね」と、相手の言ったことを復唱します。「そうそう。そうなんだよ」となる。「だとすると、もう一度確認したいんですが、今は選手がこういう形だから、こういうふうにやろうとお考えなわけですね」「そうそう、まさにそうなんだ」結局、同じ内容を双方でやりとりしているのですが、これもまさにキャッチボール。

その態勢ができたところで、「そうすると、現実的に選手の状態が今こういうことになっているわけですが、結果としてチーム自体はまとまらなくなりますよね」とこちらの見方を述べます。監督も自然に「それじゃ、君としてはどう考える?」という姿勢になってくれる。「私としては、こういう点が選手にとって課題になっていると思うんですが、これについては監督はどうですか?」と提案をしながら再び相手の考えを聞く。

そのうちに、監督は休みを出すようになりました。監督が選手の立場を受け入れたことで、選手も「どうして王監督はこうなんだろう」という考え方から、「監督は今、こういうつもりでいるんだな」と理解していく態度に変わったのです。

コミュニケーションで大切なのは「話す能力」よりもむしろ「聞く能力」。

説得するには、「相手を受け入れる」ことと、「相手の論理を使う」ことがポイントです。その上で、意見を言ったり、要求したり、依頼したり、交渉したりする。そのときには相手の論理を使います。

具体的な例をあげれば、「あなたはこのことを大事にしている。私もそれは同じだ。ところで実際にそれを実現するには、私の場合はこういうやり方を考えている」と提案することもできる。「この点を理解してくださっているあなただからこそ、私がこうしたいというのを認めてください」と頼むこともできる。「あなたの立場は尊重するから、こちらの立場もこういうふうに尊重してほしい」と交渉することもできる。

「私たちはこうしたいんだ、ああしたいんだ」ばかり言うと、相手も「そうじゃない、そうじゃない」と自分を主張することになります。意識に向かって正面から攻めこもうとすれば、潜在意識はガードを堅くするだけ。だからまず相手の考え方を徹底的に聞いて認めることで、そのガードを解いてしまうのです。「こうなんですね」と確認しながら聞くことでやりとりの主導権を手放さないようにする。それがコツです。

●上司から何の指示もない。どうしたら？

〈相手の責任を自覚させる法〉

次に「のらりくらり上司」の対処法です。

課長のイスに座ってはいるけれど、何を相談しても「そうだねえ」「ま、いいんじゃないの」式で、明確な指示が返ってこない。自由にやらせてくれる分、部下が育つということもあるのですが、いざトラブルが起こったときも、のらりくらりで逃げてばかり、部下を守ってくれない……となると、困りものです。

こういう上司は、実は上司という責任を果たしたくない。リーダーになりたくない。できればみんなと仲間で楽しくやりたいのです。だから仲間に入りたいなら入れてあげる。社長のグチを聞いてあげてもいい。

けれど、仕事上の責任の所在はハッキリさせる。ふだんは「課長、何やってんですか。そりゃないでしょ」と仲間どうしのようにワイワイやっていても、ここが決めどころ、というときは口調をガラッと変えて、「これ、このように進めさせていただいてよろしいですか」「あの件ですが、今こうなっていますので、ご報告しておきます」「進行状況をメモにまとめておきましたので、企画の責任者としてお目通しお願いします」というふうに、メリハリをつける。つまりは先頭に奉ることで、「動くのは我々部下だが責任は上司にある」ということを、相手の潜在意識にハッキリ植えつけるのです。

特に別の課がからむ場面や、対外的な場面では、上司をきちんと立てる。「A課長の指示のもとでこのようにやっています」と、ことあるごとに名前を出したり、取引先との面談にも「課長は出ていただくだけでいいですから。具体的な話は我々がしますが、課長の存在があるだけで違うんです」と、極力同席を求める。そして話の中で「A課長」の存在を強調するのです。

こういう上司の下で全体がまとまるためには、サブリーダーの存在も重要です。実質的なリーダーとして頼れる人を課内で見つけるか、自分がサブリーダーの役目をとる。

上司を変えようと思っても、変わらない。けれど部下の自分が変わることで、上司との関係は変えることができるのです。

●同僚に嫌われているのでは、と気になる

〈自意識過剰をふりきる法〉

同期の三人で飲みに行ったのに自分は誘われなかった。冗談を言ったのに、くだらないという顔をされた。話しかけたのに、適当にあしらわれたような気がする。

……ひょっとして嫌われているのでは、と不安になります。仲間に入れてもらおう、声をかけてもらおうと、相手の顔色や反応をうかがい始める。一生懸命努力したり、気を遣う。それをまた煙たがられてしまったように思い、「これじゃダメだ」「何とか好きになってもらわなければ」と自分の行動に悩み始める。つまり、自意識過剰になってしまうのです。

嫌われたくないと意識することは、裏を返せば「自分を嫌っているかもしれない人」のリズムにはまること。自分を嫌うようなタイプの人に合わせて行動しなければならなくなるということです。そして自分を好きになってくれるような人にはアピールしていない。自分のリズムを殺しているわけだから、どんな相手からも思うような反応が返ってこない

のは当然です。

「別にこの人に嫌われたって、世の中全員に嫌われるわけじゃないからいいや」と開き直ったほうが、かえって人が寄ってくる。それは自分のリズムで生きているから。

誰にも嫌われない人などいないのです。その理屈はわかっても、子どもの頃から大人の顔色をうかがわなければいけない環境にいた人は、「嫌われてはいけない」と自意識過剰になりがち。自分らしくのびのびしている姿をイメージするトレーニングが有効です。

たとえば友達とカラオケに行って、自分が一番最初に歌っている。友人がこうしたいと言ったときに、嫌なことは嫌とハッキリ答えている。みんなで話しているときに、「じゃあ次はこうしようか」と思いついたことをパッと発言している。

もっと遊びたい、おなかがすいた、これが食べたい、これは嫌いだ、あっちへ行きたい……そんなふうに自由に楽しむ子どもの自分を思い浮かべてみるのがコツ。

こういう自分を、朝の五分間ぐらいイメージします。「よし、今日はこれでいこう」と潜在意識にインプットしてから会社に出かける。毎日しばらく続けることで、その情報をもとに体が動くようになります。自意識過剰をふりきることができるのです。

●後輩にデキる奴がいて、たじたじ……

〈劣等感にオサラバする法〉

入社したばかりの頃は上司に言われた仕事を必死にこなしていればよかったのが、だんだん年数がたつにつれ後輩の目も気になり始めるもの。特に、デキる奴が入ってきて、自分よりもどんどん仕事をこなして周囲の評価も上がっていく……となると、焦りや劣等感に悩むのも自然なことです。

ゴルフの桑原克典プロは、学生時代にチャンピオンになったこともある実力の持ち主ですが、プロになってから成績がちっとも伸びずに悩んでいました。そこでメンタル・トレーニングを始めた。ところが、一ヵ月ほど遅れてトレーニングを始めた後輩の田中プロのほうが、桑原プロより先に結果を出し始めたのです。当然、心中おだやかではありません。

私はむしろ、その焦りをトレーニングに活用しました。

「まあいいじゃないか、気にせずマイペースでいけ」というのではなく、ライバル心を燃やすことで目標達成へのエネルギーにする。「あいつがそれだけやるんだったら、俺ももっとやってやるぞ」とお互いが競い合うようにしたのです。もちろん、相手を気にすることですから、相手のリズムにはまらずに、自分のリズムを推持することは前提。そこで、相手のリズムを認めるという高度なテクニックを使い、その結果、最初に優勝を決めたのが桑原プロ。続いて田中プロも初優勝を手にし、結局は二年で達成するはずだった目標を、二人そろって一年でクリアできたのです。

劣等感を感じさせられるぐらいの相手が自分の身近にいるというのは、非常にラッキーなこと。なぜその相手がそれだけの結果を出しているのか、よく観察してみる。ゴルフの場合なら、「あいつは安定して、じっくり打ってるな。俺にはない要素だぞ。よし、俺もあのやり方でいこう」と、相手のリズムのいいところを自分のものにしていくことができる。仕事でも同じことです。

たとえば後輩がぐんぐん営業成績を上げているとしたら、その行動をよく見てみる。朝の朝礼が終わったあと、自分はまずお茶を飲んで新聞を眺めてから仕事を始めるのに、彼はすぐに飛び出していく。自分が帰社した一時間あとに彼は戻ってくる。ここに二時間のズレがあるなと、わかります。

自分も真似して飛び出していってもいいし、別の方法に挑戦してもいい。この二時間をどう使うのか、それが考えどころです。パチンコしたり喫茶店で居眠りして過ごすのか、ほかにできることは何があるか？　そもそも彼がそこまでやる原動力は何か？　どんな目標で動いているのか？　考えていくといろいろ興味もわいてくるはず。

ライバルとして競い合うというのは、決して相手を蹴落とそうとか相手よりも優位に立とうというのではありません。相手のエネルギーをもらって、自分のエネルギーに変えていく。

平たく言えば、「あいつはよくがんばってるな、よし、俺も負けずにいくぞ」と自分を奮い立たせることができるのです。

そうやって、「デキる奴」のリズムを自分のために役立てる。学ぶべきところは取り入れ、さらに工夫して自分らしいリズムを見つけていく。いわばその人を、自分の潜在能力のトレーナーにしてしまうのです。

●後輩の目もある。失敗するとみっともない！

〈ミスにも慌てない法〉

ある程度の経験を積んで、それなりの責任を負う立場になると、後輩を指導する役目も出てきます。そうなると、「失敗したくない」という気持ちが新入社員の頃以上に強くなったりする。年下にみっともないところを見せたくない、先輩なんだからいいところを見せたい、と思い始めるのです。

こうして周囲を気にし始めると、自分のリズムを崩してしまう。いつもの調子が出ないから、かえってミスを犯しやすくなる。それを見せないようにしなければと思うから、対処も遅れがちになり、いよいよ困ったことになる。

別の考え方をすればよいのです。

失敗しないでうまくいくところを見せるというのも大切なことだが、予測がはずれたりミスをしてしまったときの対処法を見せるのも、後輩のためには大事な教育のはず。

たとえば企画がうまく進んでいない。だとしたら、いかに早く問題点に気づいて必要な手を打ったり、周囲に助けを求めるのか。

取引先への納入が間に合わない。即座に謝りと説明の電話を入れる。どんな言葉で先方を納得させるのか。どんな対策を用意するのか。

課内で起きたトラブルの責任をとって始末書を書くことになる。原因をどこまできちんと述べ、次のトラブルを予防する確かな策を盛り込むのか。後輩が勉強になるぐらいの始末書を仕上げてやろうと思えばいい。

新しいことにとりかかるとき、「後輩の前で失敗したくない」という気持ちにとらわれ始めたら、意識過剰になっているなと認めた上で、二つのことをイメージする。前にも述べたように、一つは「こうやって成功していく」というイメージ、もう一つは「うまくいかない事態をこう対処し、次に生かしていく」というイメージです。

失敗を見せないようにしようと思うのではなく、むしろ起こってしまったミスに対してどんな態度でのぞんでいくか、失敗から何を学んで次のステップに役立てるか……それこそがキャリアの見せどころです。

●初対面の人だと、どうしても会話が弾まない

〈誰をも恐れない心を持つ法〉

いきなり取引先の社長に会わなければならない……初対面というだけでも緊張するのに、相手が自分より「ずっと偉い人」となれば、なおさらのことです。こわいなと萎縮してしまったりする。

私も経験があります。たとえばゴルフ雑誌の連載が始まった頃、興味を持った大企業の社長さんから「うちで研修をやってもらえないか」と直接声がかかって、会うことになった。しかしこちらはまだ三十代、相手から見たらほんの若造です。

こんなとき、どうしてこわいなと思うのでしょうか。それは、「成功しているあの人と話すのだから、あの人と同等の自分を見せなければいけない」と思い込んでいるから。けれど今の自分にそれができるだろうか？　そこに不安と恐れが出てくる。

つまり、相手を恐れているのではなく、「こうでなければいけないはずの自分」と「今

の自分」とのギャップがこわいのです。不安の正体はそこにある。

中には、そんなことをちっとも意識せずに「よーし、いったるでー」と勢いよく出て行く人もいます。こんな人は気楽ですが、大きな勘違いをやらかす可能性もある。

不安や恐れは感じていい。大切なのは、何が目的で会うのかということです。

こちらの何をわかってもらいたいのか、相手の何を知りたいのか、どんなことを交渉したいのか。それを徹底的にイメージし、頭の中で予行演習する。こんなとき、自分がどう話すかだけでなく、相手が何を聞いてくるか、自分の言葉にどう反応するかなど、やりとりを想像してみることが大切です。

目的がハッキリしていれば、自分のリズムを保つことができます。相手と同等になろうとか、よく思われようと背伸びするのでなく、少しでも自分らしいリズムを保つことがかんじん。無理に背伸びしたって、相手がそれなりの場数を踏んできた人なら、すぐに見抜かれてしまう。むしろ等身大の自分を見せることで、「こいつは自分のリズムをしっかり持っているな」と相手の評価がアップすることも多いのです。

中には「自分は第一印象がよくない」というのが気になって、初対面がしんどいという人もいます。しかし、その後によく知るほどに評価が上がるのだとしたら、そのほうが有利です。第一印象というのは、相手の思い込みに左右される。「最初はへんな奴だと思ったけど、なかなかやるじゃないか」という形で相手の予想を裏切るというのは、相手の固定観念を崩したということ。それだけインパクトが強くなります。

前にも出した話ですが、私はよく、初対面の人に「意外と若いんですね」と言われます。メンタル・トレーナーというからには、もっと貫禄のある心理学の権威のような人が登場すると相手は予測している。その予測を裏切られるので、「あっ、あなたが？」ということになるのです。

予測通りにメガネをかけて白髪の紳士が現れたなら、「思った通りだ」で終わってしまう。過去と同じ回路でしか相手の気持ちは動きません。しかし会ってみたら想像とギャップが大きい。となると、相手は新しい回路をつくらなければいけないから、潜在意識も「どういう人なんだろう」と活発に動き始める。それだけ関心は高まります。「こういう人だったのか！」と少しずつ理解するたび、驚きもある。つまりは、自分のリズムに相手を引き込むチャンスということです。

●特定の人の前でだけ硬くなってしまう

〈苦手な相手でもいつもの自分になれる法〉

初めて会ったときから「この人はなんだか苦手だな」と感じたら、それは過去の情報のいたずら。自分でははっきり覚えていなくても、その人と似たタイプの人から嫌な思いをさせられた体験があるはず。すると初めて見た瞬間潜在意識が注意をうながす。それに反応して、どうしても表情が硬くなる。すると相手も無意識のうちに反応して、態度がこわばります。当然、やりとりはギクシャクしてしまい、「やっぱり嫌なヤツだった」ということになる。過去の何がいたずらしているのか、きちんと見極めたほうがいいのです。どんな相手と何があったのか。そのときどんな気持ちだったのか。しっかり思い出すことで、潜在意識にしまわれた情報が表に出てきます。すると、それは過去のことであって、今問題になっている相手とは別なのだということを潜在意識が納得するのです。

もうひとつ、誰かの前で硬くなってしまう原因として、「この人には変なところを見せたくない」「よく思われたい」という意識が強い場合があります。そう思えば思うほど、相手のリズムを中心に行動することになるから慌ててしまう。だからその人の前で思わぬ失敗をする。それが経験として頭の回路に残ってしまい、その人と会うとまた同じ回路が働き始める。そしてまたまずいことをやってしまう……。

「どうしてこうなのかな、今度会ったときには絶対そんなことがないようにしよう」と考える。実はそうやって意識すればするほど、「こうやってはいけない」という失敗場面のイメージが潜在意識に刻まれてしまうのです。そのイメージに引きずられて行動することになるから、うまくいかないのは当然。

そもそも、どうしてそうなったのか。この人にだけは負けたくないから変なところを見せたくないのか、それとも相手が好きだからいいところを見せたいのか？　その人とどんなふうにかかわりたいと思っていたのか、今はどんな関係を持ちたいのか？

「本当はこうしたかった」「今はこうなりたい」というイメージを、心にありありと描いてみる。そのことで、うまくいかなかった過去のイメージが修正ができるのです。

どんな相手との関係にしろ、自分が変えたいと思えば変えることができるのです。

●とんだ迷惑をかけてしまった!

〈後悔から抜け出し、関係を修復する法〉

とんでもない失態をやらかして、相手との関係がおかしくなってしまった。迷惑をかけて、信頼を失ってしまった……。

こんなとき、まず大切なのは心からあやまることです。

少しでも早いほうがいい。そして、他人を間に立てたりせずに直接「すみませんでした」「悪かったよ」とあやまるのです。

これは相手の心証をよくするためだけではなく、自分の気持ちを立て直すためにも役に立つ。「そんなつもりじゃなかったのに」などという言い訳をやめて、素直にわびることで、失敗した自分を認めることができる。関係のやり直しも、そこからスタートします。

心からの謝罪の言葉は、「関係を修復したい」という気持ちの表明です。

ただし相手がすぐにそれを受け入れるとは限らない。「あやまってすむもんじゃないよ」

と言われるかもしれないし、冷たい声で「別にいいよ」とそっぽを向かれるかもしれない。

そうなったら、それ以上食い下がるのはやめます。そこでしつこく「許してくれませんか」「本当にごめん」などと繰り返すと、相手は煙たく感じるのです。

そこで次のステップ。こちらの意思をハッキリ伝えたあとは、直接動いてはいけない。時間を置いて、他人を間に立てるのがコツです。周囲でこの人ならと思う相手に、「実は、○○さんにとてもすまないことをしてしまったんです」「合わせる顔がなくて……」と打ち明けます。すまない気持ちをアナウンスして回るのです。

すると、やがて数人の人から当人にこんなふうに伝わる。「A君がこの間、君にとてもすまないことをしたとか言ってたけど、一体何があったんだ?」「A君も早トチリで困ったもんだよね。また何かやらかしたんだって? 反省して青くなってたぞ」「君に合わせる顔がないといって悩んでた」……。

迷惑をかけられた相手にしてみれば、まずは本人があやまりにやってきて、それから周囲にも同じように話していることで、裏表なく本当に悪いと思っているんだなということになります。逆に、「あいつ、俺にはごめんと言っていたのに、まわりにはいかにも自分が被害者のような顔をして、話をねじ曲げているぞ」ということになると、修復は非常に難しくなる。

周囲を通じて修復の手段をとっておき、ある程度時間がたってから、再び直接アプローチします。「あのときは本当にご迷惑をかけました」「ぜひこういうことで埋め合わせをさせてください」と申し出れば、相手の反応は違うはず。

これはまさに潜在意識に訴える方法です。最初は言葉で直接わびることで、意識に伝えるわけですが、あまりプッシュすると、潜在意識が「何か裏があるんじゃないか？　本心であやまっているのかな？」と疑い始めるもの。周囲から間接的に情報が伝わることで、「あいつは俺に対して本当にすまないと思っている」と潜在意識が受け取るのです。

さて、困ってしまうのは、すぐにあやまることができずに時間がたってしまった場合。ビジネスの関係なら形式的にでも謝罪するところを、ごく親しい間柄や家族などではついつい……ということも起こりやすい。

こんなときは一つの方法として、むしろ開き直ってしまう。自分がやったことであっても、覚えていないかのように平然と振る舞うのです。そして、相手に「一体何よ！」と指摘されたり、何かのきっかけがあったときに、チャンスをパッとつかまえる。そして、すぐあやまるのです。「あっ！　そんなことがあったんだ！　すまなかった。本当にごめん！」「こんなこと忘れてるなんて、俺もどうかしてるよ。ひどい……あまりにひどすぎる。悪かったよ」

あやまるきっかけを失ってオドオドと相手の顔色をうかがっているよりも、よほど効果的です。遅くなってしまったのはしかたない。とにかく、心からの謝罪が必要なのです。そのあとで周囲の力を借りる手もあります。「あんなひどいことして、すっかり忘れてたんだよ。あいつが怒るのも当たり前だなあ」と言って回る。こうやってオープンにしてしまえば、「しかたのないヤツだな」「本当にあの人はしょうがないんだから」ということで丸く収まったりします。

それにしても大原則は、すぐに対処をとること。時間がたてばたつほど、自分の中でもモヤモヤして苦しくなります。

今までやっかいごとを引き延ばすパターンが多かった人は、「問題が起きたら次の日にすぐ解決の行動をとる」という自分のイメージを描くことも大切です。

●取引先に、いつも丸め込まれているような……

〈泣き落としに乗らない法〉

三日であげる約束の仕事なのに「やっぱり無理です」とぶっきらぼうに言われたときには「ちゃんと三日でやってもらわないと困る」とこちらも強気に出ることができるのに、「○○さん、頼みますよー。うちの方も精一杯やってるんですけど、何とか一日のばしてくださいよー。そこをなんとか！」と泣きを入れられると、どうも弱い。

ありがちなパターンです。

子どものように甘えてくる人のペースにはまると、何でも聞いてあげるやさしい親のような役割をやらされることになる。しかし、これは仕事。泣き落としに乗らないためには、距離をおくことでこちらのペースを保つことが必要です。

相手が「いや〜困っちゃいました。実は……」と泣き落としに出てきたら、「えっ、そうなの？　おたくもいろいろあるしねえ」では相手のペースです。距離をとるには、わざとていねいな言葉を使う。

「そうですか。こちらも相手先がありますんで、まずは先方に問い合わせますから。少々お待ちください」

別に実際に問い合わせなくてもいいのです。いったん間をおくことで、こちらに主導権を持ってくる。

「先方がやはり従来どおり進めないと困るということなんで、どうしましょうね。おたくでできないということになると、ちょっと問題になってきますね」

「その日までに無理ということになると、うちとしても早急にほかを当たらなきゃならない。そうなるとその分の損失も出てきますんでね」

相手は慌てます。

「えっ、そんな。待ってくださいよ。長いつきあいじゃないですか」

「それでは、期限までにお願いできますか？　それを確約いただかないと」

「わかりました。わかりましたよ。まったく○○さんにはまいっちゃうなあ」

こうやって、約束どおり責任を果たしてもらうのです。

●いつも相手の要求に振り回されてしまう

〈強気なタイプに押されない法〉


泣きを入れてくる以上にやっかいなのが、性急で強引なタイプです。

「即やってくれないいんなら、君のとこみたいな小さい下請けに出すメリットないいんだよ。できるの？　できないの？」

こんなとき、「あの～、そんなに急に言われても、ええと先日の件も来週までですよね、その進行具合のほうが今ちょっと……」と防御の姿勢になると、相手の潜在意識は「もっと攻めるんだ！」ということになります。

「それとこれとは別だろう、まずこっち木曜までにあげてもらって、来週のは来週で何とかしてくれなきゃ困るよ！」と相手のペースになってしまう。

結局、無理を押しつけられるだけでなく、「煮え切らない、使えないヤツだ」という印象が残る。だからますます「あいつとは話し合っても仕方ない、上から命令するに限る」

ということになります。

人間というものは「ここへ来ちゃダメだ、来ないでくれ」と言われると潜在意識が行きたくなり、「ここまで来てもいいんだよ」と言われると「その向こうへは行ってはいけないんだ」と感じとるもの。だから相手に攻めさせないためには、まず「ここまでおいで」のサインとして相手の言っていることを受けとめる。

「なるほど、急ぎなわけですね。わかりました。発送にかかるのがいつですか？　あ、金曜ですね。わかりました。それで木曜夕方までに入庫がいいと。よくわかりました」と、相手が急いでいる気持ちを受けとめて、それに添う方向であることを示す。

「そうなると、ひとつ詰めておく必要があるんですが、よろしいですか？　今から二、三人残業してフル稼働すれば、木曜夕方は可能だとして、来週の件ありますね。これ、同じ人間がかかってますんで、ちょっとスケジュールを確認させていただきたいんです。来週水曜までとなってますね。こちらの方が木曜朝一番だと支障が大きいですか？　あるいは別の策として、この金曜に発送という分、当日朝にお届けというふうにできると、非常に助かりますが、どちらがご希望に添うでしょうか？」

こうやって、相手の希望に添うための選択肢を列挙する。

自分の都合から入るのではなく、相手のニーズを主体に考えているのだ、と示すことで、むしろこちらに話の主導権を持ってくることができるのです。そして相手の印象は、「こいつは話の通じるヤツだ」ということになります。

「ええ？　なるほど、ちょっと待ってくれ……」と、いつのまにか相手はこちらのペースに乗っているというわけです。

相手を説得するには、相手の論理を使うこと。「そうではなくて、こうなんです」と一生懸命主張するのは逆効果。「ここまではわかりました」「あなたの方の事情はこういうことなんですね」とまずは相手の状況を確認する。それから「こちらの事情はこうなっているので、あなたの要求に沿うためには……」と具体的な相談に入るのです。

性急なタイプの人というのは実は、解決を急いでいるのではない。「早く自分をわかってほしい」だけです。だから回り道に見えても、まずは相手の言ったことを復唱するぐらいがいい。「こいつはのみこみが早い。話し合いができる」ということになるのです。

●相手のタイプで、どう対処を分けたらいいのか
〈どんな人とも上手につきあう法〉


相手によっていちいち対処を変えるなんて、そんなことができるだろうか？

実はこれ、私たちが日常でごく自然にやっていることなのです。

一人の人間の中には、五つの人格があるのだという話を聞いたことがありますか？

別に多重人格というのではありません。誰の心の中にも「権威的に命令する親」「やさしく世話する親」「冷静に判断する大人」「無邪気に楽しむ子ども」「命令に従う子ども」という五つの自分が住んでいるのです。そして相手や状況に応じて、自然に使い分けている。

実感しやすいように説明すると、こんなふうになります。

まず、「権威的に命令する親」は？

自分に対しても他人に対しても「こうすべきだ！」「なぜこうできないんだ！」と指令

を飛ばし、できなければ批判したり責めたりします。あなたがたとえば恋人と意見が合わなくなり、「ここは俺の言うことに従うのが筋だろう」「なんでそれぐらいのことがわからないんだよ！」という態度をとったとしたら、この「親」が表面に出て主導権を握ろうとしているのです。ミスした部下を怒鳴りつけるのも、同じ。

威厳があるかもしれませんが、いつもこの調子だと反発される危険が大です。

「やさしく世話する親」は？

相手に同情したり、相手の状況が心配で見ていられなくなったときに、さっそうと助けに参上します。「どうしたの、僕に話してごらんよ」とあれこれ親身になって相談に乗ったり、ポカをやった同僚の尻拭いをしたり、「あいつはダメな奴だけど親友の俺だけが頼りだから」……というとき、こちらの「親」を演じているのです。

感謝されることも多いが、度が過ぎると甘えを際限なく許してしまう関係になりかねないし、逆におせっかいと言われることも。

「冷静に判断する大人」は？

これは社会経験を積みながらみがかれる人格です。ビジネス上のつきあいをそつなくこなしたり、交渉場面で相手と対等に渡り合ったりする。ご近所づきあいで「いやあ、今日もいいお天気ですね」などと特に意味のない社交辞令を言うのも、この「大人」が表面に出ているから。

実はこの人格、他の四人を統率してコントロールする役目も果たしているのです。「いつまでも甘い顔をするとまずいぞ。このへんでちょっとスゴミをきかせておくか」と判断して、「世話する親」を退場させ、「命令する親」に役割交代させたりします。この「大人」が統率力を失っていると、客観的な判断が鈍ってしまい、同僚はサッと仕事の顔に戻っているのに自分だけは昼休みの弛緩した「子ども」状態のまま、ということも起こる。場違いな冗談を飛ばして一人だけはしゃいでしまい、ひんしゅくを買ったりもします。

「無邪気に楽しむ子ども」は?

読んで字のごとし。久しぶりに同窓会で懐かしい顔に会ったとき、最初は堅苦しく名刺交換などしていたのに、場が盛り上がるにつれすっかり昔に戻ったよう……という経験がありませんか? 「大人」が「無邪気な子ども」へと席を譲ったのです。何事であれ、心から楽しんだり夢中になっているときは、この「子ども」が歓声をあげている状態です。

楽しむことを忘れて窮屈に暮らしていると、「無邪気な子ども」は片隅に押しやられてしまう。メンタル・トレーニングでいえば、自分の目標を生き生きとイメージするためには、この「子ども」に任せることが必要です。そして、目標を今の行動にどうつなげるか、今日は何をすべきか、キッチリ判断するには「大人」の客観性が欠かせない。

最後に「命令に従う子ども」は？

周囲の期待に添うよう努力したり、ノルマをこなすため黙々と働くのは、この人格が表面に出ているとき。上司にミスを指摘されて「しまった！　どうしよう」とうろたえて素直に反省するのが「従う子ども」の部分で、「この上司はちょっとくどいな。自分だったらもっとスッキリ説明するんだけどな」と一歩離れて観察しているのは「大人」の部分。「いやだなー、早くお説教が終わらないかな」と感じてしまうのは「無邪気な子ども」の部分です。つまりは、すべてが混在することもあるのです。

五人の中で「命令する親」が発言権を強めているときは、自然と「従う子ども」も登場することが多くなります。「親」が、こうすべきだ、これじゃダメなんだとあれこれ細かく指示し、「子ども」の自分がそれに一生懸命従おうとするのです。ひと頃のモーレツ社員はこの典型で、上司からは、よくできた部下と評価されるでしょうが、同僚には、遊びを知らない堅苦しいヤツと敬遠されるおそれも。

さて、注意すべきポイントは二つあります。

一つは「命令する親」「従う子ども」の組み合わせばかりが活躍すると、自分が苦しくなってくるということ。「無邪気な子ども」は押さえつけられ、生き生きした感情が味わえなくなります。つまり自分が本当はどうしたいのか、つかめなくなる。こんな状態のときは、意識的に「無邪気な子ども」をイメージしてみるといい。やりたいことをやり、楽しみたいことを我慢せず、嫌なことは嫌だと言う、そんな自分です。

次に、「大人」の判断をときどき聞く習慣をつけるのが大切だということ。「大人」がいつも状況を見守っていれば、「今はこの人格が表に出ているんだな」と自覚することができる。知らず知らずに相手のペースに巻きこまれたり、思いこみだけで行動したりするのを避けられます。

今は困っている相手に助け舟を出すべきときなのか？　それともガツンと一言厳しく言ったほうがよいのか？　むしろ距離を保つため、わざとていねいな調子で話すのが得策なのか？

ここは黙って相手の言うことにハイハイと従っておくべきか？　むしろ大人として自分なりの判断を述べたほうがよいのか？　それとも無邪気に言いたいことを言い、自分の気がすむようにするのか？

危機を前にして、現実に目を向け着実に進むべきなのか？　いやいや、今こそ夢に向かって飛躍するチャンスなのか？

ときどきこうやって自分の状況を客観的にながめ、「今はどの人格に働いてもらうのが目的のために役立つか」というアドバイスを「大人」の自分に聞いてみるのです。助言を求めれば求めるほど、「大人」は賢さを発揮するようになる。五つの人格の中心となるコントロールタワーがしっかり立っていると、目標の実現に向けて自分のあらゆる面を生かしていくことが可能になります。

ただし、「大人」も過剰になると、「評論家タイプ」といわれるような有言不実行型、あるいは情緒の乏しい機械人間になるおそれが。何事もバランスが大事なのです。

●すぐにカーッとなり、関係を壊してしまう

〈感情のコントロール法〉

ささいなことでつい腹を立ててしまう人というのがいます。

頭にカーッと血がのぼっているときは周囲の事情など考えていられないので、大声で怒鳴ってしまったり、上司の前で書類をたたきつけてしまったり、「なんだ、こんな会社辞めてやる!」と口走ってしまったりする。

そのために社内の人間関係がうまくいかなくなる。取引先の心証を害してしまう。果ては本当に会社を辞めてしまうことも……損なパターンです。

では、どうしたらいいのか? 「明日からカーッとならないようにしよう」と怒らない自分を一生懸命イメージしても、たぶん無理です。

というのも、こういう人は多くの場合、目の前のことだけで急に噴火するわけではなく、少しずつ積み重なった怒りや不満のタネがあって、それが何かの引き金でドーンと爆発す

るのです。つまりは、「怒りっぽい」のがいけないのではなく、むしろ怒りを抑えてしまうことが問題。

何かを我慢して無理しているから、潜在意識は「これ以上我慢できない、次に何かあったら爆発するぞ」とチャンスをねらっているのです。いわば爆発することで、たまったものを吐き出すというリズムをつくっている。終わってみれば「ああ、またやってしまった」と後悔する部分もあるでしょうが、そうやってたまったものを発散していることは確か。

「爆発しないようにしよう」などとがんばると、自分のリズムを崩しておかしくなるかもしれません。そのひずみはまた別のところに出てくる。

だから明日から急に変えようと思わず、まずは五年後の目標をイメージしてみます。どんな自分になっていたいのか？　周囲とうまくやっている自分、問題が起きても冷静に話し合える自分、言いたいことはその場でハッキリ言い、怒りをためない自分……。

明日のこととしてイメージするのは難しくても、五年後なら不可能ではないはず。今とどのように違うでしょうか？　毎日の暮らしはどう変わっているでしょうか？　なるべく具体的に思い浮かべてみてください。書き出してみるとさらにハッキリしてくるでしょう。本当に自分を変えたいのなら、そのイメージを潜在意識に刻み込むのです。

五年後にそのような自分になっているためには、三年後の自分はどんなふうになっている必要があるだろうか？ 一年後はどうだろう？ そうやって考えていきます。

では五年後の目標を実現するために、明日できることは？

たとえば最近カーッとなってしまった場面を思い浮かべてください。そのときはどんなことで頭にきていたのでしょうか？ どんな不満がたまっていたのでしょう？ 明日、そのような不満を感じたとしたら、どうしますか？ 怒りを小出しにしている自分をイメージしてみるのです。

こうやっているうち、大爆発の損害がさほどではなくなってきます。爆発の頻度は多くなったとしても一回の爆発がだんだん小さくなり、やがて爆発が起こる前に気持ちをうまく出せるようになるのです。気がつくと、イライラカリカリした状態から解放されて、楽になっているはず。実際には五年もかからずに願っていた自分になっている。イメージの力というのはそれほど強いのです。

●いつも裏切られる。誰も信用できない

〈人間不信から立ち直る法〉

恋人に去られた、友人が自分のことを悪く言っていた……こんな体験を繰り返すと、人間が信じられなくなってきます。けれど、何から何まで自分の期待に添う相手などいない。一生涯の親友だって、大恋愛の相手だって、それぞれ自分の人生を生きている。だから、いつもあなたの期待するような行動をしてくれるとは限らないわけです。

「裏切られた」とショックを受けるのは、「この人は信じられるはずだ」と期待しているから。その人の何を、どこまで信じるのかが問題です。

すべてを信じたいんだと意識で思っていると、潜在意識は裏切りを探し始める。本当にすべて信じていいのかと、相手を試すような行動をとるのです。ここまでなら自分のためにやってくれた、ここまでならわかってくれた、もっと期待しても大丈夫だろうか？

……こうやっていけば、どこかで壁にぶち当たります。「あ、ここまでなんだな」と思

えばいいのですが、すべてを信じたいから、「やっぱり裏切られた」とショックを受ける。

第一、「おまえだけは俺を裏切らないよな」「君に裏切られたら僕はやっていけない」という波長を常に出していると、相手はだんだんひいていくものです。

そして「やっぱりこの人も信じてはいけない人だった」ということになる。裏切りを探していた潜在意識は、ある意味で目的を果たしたわけです。

こんな人はおそらく過去に、大切な人からひどく裏切られた体験を持っているはず。たどっていくと、小さい子どもの頃に全面的に信頼したかった相手、たとえば親から、裏切られる体験をしたのかもしれない。

そのイメージを潜在意識が強固に持っているから、周囲の人との関係を「自分を裏切った親」と重ねてしまう。相手が自分にとって大切だと感じると、「今度こそ全面的に信じたい」と意識では願い、「でもきっとまた裏切られる」と潜在意識が思ってしまうのです。

この回路を修正するには、最初の裏切られ体験を、きちんと思い出すこと。何が起こって、どんな気持ちになったのか、潜在意識にしまわれたものを取り出してみる。過去がしっかり認識できると、周囲の人と「自分を裏切ったあのときの親」とは別だとわかります。

次に、そのときの自分は本当はどうしてほしかったのか、思い浮かべます。親にそばにいてほしかったのか、どんな言葉をかけてほしかったのか……実際に起こったかのように、ありありとイメージしてみるのです。脳は不思議なことに、実際に体験したことと、体験したかのようにイメージしたこととを区別しません。同じ情報として扱うのです。

「本当はこうなってほしかった」ことのイメージを潜在意識に植えつけることで、過去の体験からきた「いつも裏切られる」という情報が修正される。過去を変えることはできなくても、過去に引きずられずに生きられるようになるのです。

ただし過去の手ひどい体験のイメージは、自分の心理状態を大きくかき乱すことがあります。それだけのインパクトがあるからこそ効果も大なのですが、次のときは要注意。

新しい環境に身を置いたばかりのとき、すべてがうまくいかなくて精神的に落ちこんでいるとき、新たな裏切りでグサグサに傷ついているとき、親しい人やペットを亡くしたばかりのとき……。こんなふうに日常が安定していないハードな時期には、「過去のイメージを修正して自分を変えよう」と無理をするのは禁物。まずは日常を取り戻してから、ゆっくりと目標を定める。それから、目標のためにできることから始めましょう。

●グチっぽい友人にこれ以上つきあいたくない
〈マイナスのオーラから逃れる法〉

毎日がうまくいかない理由を並べ立て、どんなに惨めかを嘆く。うんうんと聞いていると、こちらまでマイナスのオーラにのみ込まれそうな気がしてくる……。

こういう相手は、かわいそうだと言ってほしい、自分が不幸だということを認めてほしい、つまりは不幸にとどまるためにあなたを必要としているのです。

相手の期待に応えようとすると、知らないうちに相手の不幸をパワーアップする役目をやらされることになる。自分でいやだと思うなら、そんな役目をやる義理はありません。

「おまえも大変だなあ」とつられずに、「そんな彼女なら、別れればいいじゃないか」「そんな会社、やめてしまえばいいんだよ」「原因は結局、君じゃないか」……話を最後まで聞かずに言われなくてもわかってるような助言を執拗に繰り返すのです。

「こいつには、いくら話してもわかってもらえない」と、相手は自然と離れていきます。

●つらそうにしている彼女を助けてあげたい

〈信頼を得て心を開かせる法〉

今度は撃退法の逆パターンです。

誰かと個人的に親しくなりたい、プライベートな信頼関係を育てたいと思っているなら、さきほどの方法のウラを考えればよいのです。

たとえば、気になる彼女が一人でつらそうに悩んでいる。助けてあげたい。自分に心を開いてくれればいいのに……。

そんなとき彼女の信頼を得ようとして、あれこれ助言するのはあまり効果的ではありません。仕事で組もうというのならともかく、個人的に心を開いてもらいたいとき、「自分は何でも知っている」「これもあれもできるんだ」式の自己顕示は役に立たないのです。

たとえ最初は目を引いたとしても、これが続けばさっきの撃退法と同じことで、相手の心はだんだん離れていく。

だから、気のきいたことを言おうとか、役に立つアドバイスをしようなどと思わずに、相手の気持ちをひたすら聞く。

「そうなんだ……。それでこういう気持ちなんだね」「そんなことがあったんだ。つらいのも当然だね」と相手を認めてあげるのです。「こう考えるべきだ、こうするべきだ」と言わずに熱心に耳を傾けることで、相手が何でも話せるような雰囲気をつくる。

すると「この人は私の気持ちをわかってくれる。信頼できる」ということになります。信頼関係ができて、相手の方から「どうしたらいいと思う?」「あなたはどう思う?」と聞かれたら、そこで初めて「そうだね、僕だったらこんなふうに考える」「こんなやり方もあるよ」と提案すればいいのです。

人間は、自分の感じたことや、自分が精一杯やっているということを認めてもらえたとき、相手に対して心を開きます。「さあ、心を開け」「信頼しろ」「僕にはこんなに価値があるんだぞ」とガンガン押されても、潜在意識は用心するばかり。「よくわかるよ、それでいいんだよ」と認めてもらうと、安心して鎧を脱ぎ捨てるのです。

4 自分自身編

~逆境を生き抜く、心の鍛え方~

長い人生、さまざまなことがあります。うまく波に乗っている時期もあれば、どうにも調子が出なくなることもある。

それもいってみれば、リズムのうちです。

けれども、あれこれ悪いことが重なると、ドツボにはまったまま、抜け出すきっかけがつかめなくなったりする。

抜け出せないでいることが苦しいというよりも、むしろ次の方向が見えないことが苦しいのです。

こんなときどうしたらメンタルの切り換えができるか?

その方法をあげておきます。

●何もうまくいかない。仕事も恋もお金もない

〈スランプをエネルギーに変える法〉

何をやってもうまくいかない状態というのは、ズバリ言って意識過剰なのです。

つまり潜在意識の力を使っていない。潜在意識のバックアップがあって初めて、目標に向けて頭と体全体を働かせることができるのです。私たちはつい、自分の行動をすべて意識で決められるかのように思いがちですが、それは違う。

胃腸の働きも血液の流れも、意識で左右することはできません。そして意識で変えられない体調の変化もすべて、行動にかかわってきます。早い話が、胃がキリキリ痛んでいるときに効率的な仕事はできないし、筋肉が疲れきっているときに山登りしようというのも無理。第一、うれしい、悲しいといった感情は、意識して努力したからといって変えることはできない。うれしいときは誰かと話したくなるけれど、悲しみに沈んでいれば外に出る気にもならない。気持ちが弾むように楽しいときというのは、「楽しくなろう」とした

からではなく、自然にそうなったのです。

意識ではどうにもならない部分にまで、大きな影響を及ぼすのが潜在意識です。潜在意識が「今日はきっと楽しいぞ」というイメージを受け取っていると、少々体調が悪くてもそんなことは忘れてしまう。「緊急事態だ」という情報を潜在意識がキャッチすると、それを切り抜けるために体がすぐさま反応する。潜在意識が将来の目標に向けてノッているときは、次はこうしよう、その次はあれだと、アイデアが次々浮かぶ。思いついたことを実現する手段も、まるで吸い寄せられたかのように整っていく。

この力を使わずに、意識ばかりが先行しているとどうなるか。

こうしたいんだ、こうしたいんだ、という気持ちばかりが勝って、その情報が潜在意識に伝わらない。すると、実現に向けて動くことがないまま、欲ばかりがふくらんでいく。

「もっといい仕事をしたいんだ」「彼女がほしいんだ」「お金があったらいいのに」これが意識だけで終わったら、欲のかたまりです。目標は人の力を引き出しますが、欲は人をダメにする。ここがかんじんな点。ゴルフの例で説明しましょう。

「優勝したい、優勝したい、優勝したい」とそればかり意識していると、欲で先が見えなくなる。欲に目がくらんでしまうのです。すると自分のリズムを失うだけでなく、周囲のリズムも読めない。だからミスをする。そうなると、「さっきのミスを取り返したい、取り返したい」とさらに意識過剰になる。それがパニックをひき起こす。

「優勝したいんだ」というイメージをしっかりと描いたら、あとは忘れてしまうのです。すると意識しない分、潜在意識が、優勝という目標に向けて自分の状態を整えてくれる。

忘れるといっても、「忘れるんだ、意識しないようにするんだ」と意識していたらダメ。だから何を意識するかといったら、「今何をするか」です。ボールを置く、左足を一歩前に出す、そんなふうに今目の前にあること、今の自分がやるべきことに集中するのです。集中にも潜在意識の力が必要だから、そのスイッチとしてリズム呼吸を使う。

スポーツの選手の場合は、まず呼吸法をトレーニングして、潜在意識へのスイッチとする。次はその呼吸を自分の動作のルーティンに入れます。ゴルファーであればショットの前にボールを置いて一歩下がって目標確認しているとき、ピッチャーならピッチングの動作を起こすとき、バッターならバッターボックスに立つとき、トレーニングした呼吸が自然と出るようになっている。「集中しなきゃ」「打ち取らなきゃ」「ヒットを飛ばさなきゃ」

と意識過剰になるのではなく、今やるべきことだけに集中する自分にもっていくのです。リズム呼吸しただけでその回路が働くよう、条件づけをしてしまう。

こうしたいんだという気持ちばかりが勝っているときは、欲に目がくらんでいるために何をしても空回りになります。「あいつは、あれもこれも持っているのに、俺はつくづく運がないな」と思ってしまう。つい人と比較するというのも、自分のリズムになっていないからです。リズムをつかむまでの足踏み状態がスランプの正体。

こんなときはまず徹底的に、どうなりたいのかを考えてみる。漠然と「今より、もっといい仕事がしたいんだ」「別の自分になりたいんだ」ではなく、具体的にどうなりたいのか、いつまでにそうなりたいのか、イメージがしっかり描けるまで悩んでみるのです。

イメージできたら、その目標はいわば潜在意識に預けて、今できることを一つずつやっていく。預けることができずにいつまでもしがみついていると、今の行動がとれず、目標は欲で終わってしまいます。目標を描くためにしっかり悩むことで、スランプをエネルギーに変えられる。こうなってこそ、スランプが次の飛躍のための屈伸として意味を持つのです。

●いつもビクビク、小心者の自分を何とかしたい

〈どんな状況にも平然としていられる法〉

小心者だというのは、いいことです。それが危機管理につながるから。「こうなったらどうしよう」とあれこれ想定できるからこそ、「こうならないためにはどうしたらいいか」「もしこうなってしまったら、どう対処するか」と、さまざまな場面に対処するための準備ができる。自分なりの対策は、多いにこしたことはありません。対処法のレパートリーが広い分、予想外の事態にも慌てずにすむからです。

ただしこれは、ビクビクするのとは違う。

ビクビク脅えてしまうのはなぜかというと、マイナスの部分を認めていないからです。悪いことが起こるかもしれないと不安にかられながら、その可能性を直視したくない。そのことから逃げよう逃げようとするから、当然、対策も立てられない。だからますます不安になり、ビクビクする。そして、自分が脅えているということも、認めたくない。

まずい要素をすべて、自分にも隠したいし、他人にも見られたくないのです。

つまりは本当の自分を隠したいと思っている。

どんな人にだって、欠点もあれば弱点もある。完璧な人間など存在しないのに、ビクビク状態にいる人は「完璧でなければいけないのに」「いつでも強くなければいけないのに」「いい人でなければいけないのに」と不可能なことを思いこんでいるのです。だから、自分の悪いところや弱みを隠したい。

見つけられないだろうか、このままでいたら見つかるんじゃないだろうかと、ビクビク脅えてしまうのです。

むしろマイナスの部分を認めることが大事。「今の自分はこうなんだ」とハッキリ認めることで、「こうなりたいんだ」という目標に向けてスタートラインに立つことができるのです。

認めることが自信につながる。自信というのは、自分を信じること。つまり、うまくいっている部分もうまくいっていない部分も、そのまま認めることです。

どんな状況でも、今の自分を出して大丈夫。そうやって自分を認めれば、取り繕わなくていい。取り繕う必要がなければ、平然としていることができるのです。

それならば、いつも自分を全面的にオープンにして「こんな自分なんだ」と表現する必要があるかというと、そんなことはありません。大切なのは、この場面は何が目的なのかということ。いつも周囲に自分を主張する必要はないし、いつでも自分を理解してもらう必要はないのです。

何を主張するという目的がない場なら、別に黙って座っていればいいわけで、おどおどしていようがかまわない。ただ時間がたつのを待っていてもいいわけです。

この場面でこうしたいんだという目的が明確にあるのなら、自分がどう見られるかではなく、「こうしたい」という目的だけを考えるのがコツです。

●自分がどうしたいのか、目標がわからない

〈見失った可能性を再発見する法〉

目標だの目的だのといわれても、いったいどうなりたいのか自分でもわからない……雑誌で連載している頃、こんな相談がけっこうきました。目標を定めるには、それなりの勢いと勇気がいる。私自身も、期限つきの明確な目標を立てるようになったのは、土壇場に追いつめられたのがきっかけでした。火事場の馬鹿力式に、潜在意識が動き出したのです。

潜在意識を活性化するために、いくつかの方法を提案しておきます。

まずは、自分の部屋で「気になるモノ」を見つけるゲーム。

静かな気持ちで部屋中を眺めわたします。そこにあるものを一つ一つ、「これはこうやって手に入れたんだったな」などと思い出しながら、目でたどっていく。そのうち何か心にひっかかるものが出てくる。懐かしい思い出の品かもしれないし、やりかけたまま忘れていたものや、なぜそこにあるのか一瞬わからないもの……。

気になる品を一つ決めたら、それにまつわる歴史をたどって連想ゲームをします。いつ、どんなふうに使った？　その頃どんな毎日を過ごしていた？　そこでまた、何かひっかかることが出てくる。またそれをたどっていく。こうやってイメージを活発に浮かべていくうち、「あの頃自分は本当はこれがしたかったんだ」「こんな生き方を望んでいたんだな」「こんな夢を持っていた」と気がつく。気がついたことは、どんなにささいなことに思えても、ノートに書きとめておきます。すべて目標設定の材料です。

あなたがやりたいことは、あなた自身が知っている。それは、あなたが生きてきた歴史の中に隠されているのです。

次は、自分が「楽しい」と感じることを五〇個書き出してみるゲーム。

これだけ見つけ出すのは一仕事です。好きな音楽でも読書でもいい、何かの仕事でもいいし、散歩でも、夕日を眺めることでもいい。風呂にゆっくりつかることでもいいし、野球観戦でもいい。どんなことでもいいから「楽しい」ことが条件。ときどきやっている趣味もあるだろうし、長いこと忘れていた楽しみを発見するかもしれない。

たぶん一度に五〇個は無理。思いついたとき「あ、これも！」とリストに加える。楽しさに焦点を合わせること、それは自分のリズムや目標に敏感になるための下準備です。

もう一つ、「不満のタネ」を見つけるゲーム。

誰かと仕事をしていてなんとなくペースが合わないとか、あいつとはどうもソリが合わない、ということがありませんか？　ここでこんなふうに過ごしているとどうも居心地が悪い、日常の中のこれが不満なんだ、ということはありませんか？

全部書き出してみます。これはすべて、あなたのリズムに合っていないこと。何となく気が合わないと感じる相手は、潜在意識で望んでいることが一致していないのだし、何となく落ち着かないと感じる場面は、自分のリズムを殺して無理をしているのです。

それを探っていくと、あなたがどんな生き方を望んでいるのか、本来のリズムはどんなものなのか、わかってきます。やりたくないことの裏返しは、やりたいことです。

いますぐ将来の目標が立たなくてもいい。今とりあえず目の前にある目標を、常に確認するクセをつけておく。「この書類の目的はなんだったか？」「これを明日までに仕上げるのは何のためだ？」「急いでいるのは誰に会うため？　会ってどうするんだっけ？」といつも自分に聞くのです。目標に向けて動く自分ができてきます。

4

真の強さをいかに持ち続けるか

逆境を生き抜く自分になるヒント

ここまで読みすすめてきて、つかんだヒントはたくさんあるはず。

それをどう生かしていくか?

そのための最終チェックです。

理屈ではわかっても納得していないことはないか、ひっかかっているのはどこか、誤解していることはないか。

力を十分出していくための準備はOKか。

これをおさえておけば間違えない、というポイントを最後にあげておきます。

……あなたの成功を祈って!

わかっているようで、全然わかっていない場合

「一ヵ月やったんですけど、成果が出ません」

一刻も早く自分を変えたいと思っている人、思いが強いあまりに焦っている人は、成果を確認するのを急ぎたがる。「いつになったら効果が出るんですか?」と聞きがちです。

こんな人に限って、一日一時間近くもひたすら集中力のトレーニングをやっていたりする。そして「なかなかうまくいかない」と悩んだりする。そんなに時間を使うなら、部屋の掃除でもしたほうがよほど気分がすっきりするでしょう。

わかっているようで全然わかっていない、その最たる例がメンタルのためのメンタル・トレーニングをやってしまうこと。これにはスタート地点で大きな誤解がある。

「トレーニングして何を身につけようか」と考えているのです。「集中力を身につけたい」「自分をアピールする力を身につけたい」「コミュニケーションの力をつけたい」というこ

とになってくる。すると、集中力がまだつかないな、まだ自分をアピールできないぞ、と毎日チェックし始める。

そんな力がどれだけついたかなど、はかれません。本来はなかった力を外からくっつけたなら、これだけつきましたよと見ることもできる。たとえば家の外壁のペンキ塗りをして、これだけきれいに生まれ変わったよというぐあいです。けれどメンタル・トレーニングは、外側をべたべた塗ってきれいにするのとは違う。

トレーニングの成果というのは、もともとあった力が、発揮できるようになっただけなのです。あることさえ気づかずに眠らせていた能力が、目覚めたようなもの。

力はあったのに、何かが無意識のうちに邪魔していた。だから持っている力が出せなかった。トレーニングをきっかけとして邪魔な思いこみが外れたとき、自然と結果が出るようになる。それは別の自分になったわけではなく、本当の自分なのです。

かつて力が出なかったのも本当の自分。

力が出せるようになったのも本当の自分。

違いは、より自然なリズムの中で生きているということです。

何が身につけられるかではなく、トレーニングする時間を持つことで、自分がもともと持っている能力にどれだけ気づけるかが大事なのです。その意味でなら、一週間でも成果は出ます。自分に集中力があることに気づいたり、イメージする力があることに気づく。そして力を発揮するスイッチを見つける。それには一日五分、一週間続ければ足りるのです。

あとは実際に、見つけた力をどんな場面で何のために使うのか、どう使いこなしていくのか、それがかんじんです。

「これができる・これはできない」ではなく、あなたは何をしたいのか。その目標に向けて具体的にどんな行動をとるのか。それが大切なことです。

心からやりたいことが見つかって、今そのために何をするかが定まったとき、トレーニングで見つけた潜在意識のスイッチがいよいよONになるのです。

がんばり・完璧主義は、逆効果

メンタル・トレーニングをしたために、かえって調子が出ないという人がいます。それには、二つの原因が考えられます。

まず、がんばりすぎは逆効果。

必死に努力して長時間のトレーニングをする、これは最も悪いパターンです。

呼吸法なら一日一回五分間を一週間続ける、これで十分です。続いて集中力のトレーニングをするときは、やはり五分ずつ一週間もあれば、呼吸が集中のスイッチとして働くようになる。目標をイメージするのはずっと続けるのが有効ですが、一日何回もやらない。たとえば将来の自分をイメージするなら、一日一回五分間ぐらいが一番いいのです。

イメージばかりやっていると、かえって意識過剰になってしまい、目標が欲で終わってしまいます。では目標と欲の違いは何か？　目標は潜在意識まで伝わっていく、本当の自分が望むことで、理にかなった行動へとつながっている。欲は、意識にとどまった望みで、目標達成しない行動をともなうのです。たとえば楽してひともうけしたいという人がいて、仕事もせずに一日中、ギャンブルばかりして、気がついたらサラ金に多額の借金をしてしまっている。自分の目標をイメージしたなら、それはもう潜在意識にインプットしたのだから、意識では忘れていいのです。あとは今、やらなければいけないことをやる。

もう一つ、完璧主義も逆効果。

昨日は集中のトレーニングを忘れてしまったから、一週間の最初からやり直しだ、などと考える必要はない。朝さわやかに起きるイメージを忘れて寝てしまったから、今日はもうダメだなんていうこともない。

完璧を求めると、完璧でない部分が目につきます。つまり悪いリズムに目がいってしまうということです。悪いところを何とかしようとして、一生懸命悪いリズムの中に浸り続けてしまう。「このうっかりがダメなんだ」ということになる。

努力を重ねて問題点が多少改善したとしても、全体のリズムを崩してしまうため、苦労の割に結果が出ません。

「いつまでたっても変われない」のなら

「あれこれやっているのに、いつまでたっても変われないんです」

こんな人の嘆きをよく聞いてみると、いくつかのパターンがあります。

一番多いのは、何度も言うようにトレーニングのためのトレーニングになっていること。「集中力を出すんだ」「イメージ力をつけるんだ」「そうすれば自分が変われるんだ」と一生懸命になっている。要するにがんばりすぎなのです。

こんなにがんばっていたら、目標のために具体的な行動をしていく時間がありません。

トレーニングの目的は何か？

それは自分の目標を達成することです。

もう一つ、よくあるのは目標が生き生きイメージできていないこと。

目標設定が漠然としすぎているのかもしれない。あるいは用心深すぎて目標を低く設定してしまったのかもしれない。実は本当にやりたい目標ではなく周囲の状況に合わせて決めているのかもしれない。

この状態だと、目標を思い浮かべてみても心が楽しくなってきません。楽しくないことには、潜在意識は動かないのです。

さらに、目標ばかりかかげて今の行動がとれない場合もあります。

目標と今の自分とがつながっていない。自分の現在の状況を見ることから逃げているためにスタートできないのかもしれないし、行動するための情報がまだ足りないのかもしれない。

この状態で将来のイメージばかり熱心に思い浮かべていても、それは夢にすぎません。「こうなりたいんだ」という意識ばかりふくらんで、欲に目がくらんでしまう。

「こうなりたい自分」が見えたなら、その目標のために自分が今できることをやる。変わりたいのなら、行動することです。

目標が達成できなかったら、どうするか

目標達成が究極の目的なのか？　それも危険な勘違い。

目標は、いくらでも変えていいのです。一つ例をあげましょう。

ゴルフの桑原プロと田中プロは、トレーニングの成果がぐんぐん現れてきて、その年の目標を軽く達成できそうな気配が見えてきました。新聞などでは活躍ぶりをもてはやされましたが、私は「これはあぶない」と危機感をつのらせていた。というのも、目標達成が近づくと潜在意識がブレーキをかけるのです。

イメージした目標が達成されるということは、それに向かって走ってきた潜在意識にとってある種の死を意味します。目指していた大学に合格したあと燃えつき状態になったり、難事業をやり遂げたあとうつ状態におちいったりするのもそのため。これを防ごうとして潜在意識はわざわざ目標を遠ざけるような行動をとらせたりするのです。

こんなときは、目標の修正や、新しい目標を見つけることが必要。二人の場合、十二月までの目標としていた賞金額を何度か引き上げるということをしました。

目標というのは、言ってみればエネルギーにすぎません。何のためのエネルギーかというと、潜在意識を常に活性化させるため、つまりは生き生きと自分らしく力を発揮して人生を送るためです。

目標達成のためには自分だけでなく周囲の力も借りることが必要で、そのタイミングがうまくいかないこともあります。それで目標が予定通り実現しなかったからといって、「人生に失敗した」ことにはなりません。次のチャンスを待ったり、次の目標にチャレンジすればよいのです。

新しい目標を立てるときは、まず、これまでの目標をクリアできた自分や、目標を常に持っていられた自分、あるいは「失敗から学ぶことができた」自分を、きちんと評価します。スポーツ選手が勝利を手にしたときのガッツポーズのように、「よくやったぜ！」と思いっきり自分をほめるのです。これで潜在意識は納得し、次の目標やランクアップした目標へと自分を切り換えることができます。

〝三歩進んで二歩下がる〟方式でメンタルは強くなる

どんな人でも、前向きになれるときと、なれないときがあります。何を見ても聞いても、「自分はどうしてダメなのか」と悩みがつのるばかりということもある。何かと落ちこんでしまう。不安が大きくなる。

「いったんは打たれ強くなったと思ったのに、やっぱりダメな自分に逆戻りしてしまった」と嘆くことはありません。

人が力を発揮していくのは、右肩上がりに一直線にぐんぐん上昇するようなものではありません。

トントンと前に進んで、今度はしばらく足踏みし、またそこでヒントを得て次に進む。つまり、三歩進んで二歩下がり、また三歩進むようなものなのです。いったんは調子が崩れるけれども、そこで悩みながら、また調子を取り戻してあがっていく。ダイエットをする人が、健康的にヤセていくとき、停滞期というのがあります。体重が順調に落ちてきて、しばらく減らなくなって、それからまた減りはじめます。心も体と同じです。

それが基本的な人間のリズムというものでもあります。

直立不動でジャンプしても、高く跳ぶことはできません。いったん姿勢を下げてグッと屈伸することで、勢いよく跳べる。スランプというのは決して逆戻りではなく、次の飛躍のための屈伸なのです。

そのときに何を考えるかが大事。

これは何のための屈伸なのかと、目標を再確認する。自分はどうしたいのか。そのためには何が必要なのか。

スランプのない人、スランプなのに気づかず「まあいいさ」と流してしまう人、スランプから逃げようとする人は、結局は伸びない。

とことん悩んでこそ、答えが見つかることも多いのです。

逃げていいとき、悪いとき

問題から逃げてはいけないのか？　結論から言ってしまえば、逃げるのは決していけないことではありません。

環境を変えて時間稼ぎをし、問題に対処できる自分の態勢を整える。その意味であくまで一時避難、最終的には問題に対処するための逃げであるなら、非常に有効です。場所を変えたり時間を置くことで、自分がはまっている問題の外側に立てる。すると見つからなかった答えも見つかる。

一方、戻る場所のないような逃げ方、「二度とそこには顔を出せない」というような逃げ方は、あまり得になりません。自分の重荷を増やすことになってしまうからです。

逃げることと同じように、休むことや遊ぶことにもコツがあります。

精神的に疲れているとき、「今日はもういいや、テレビでも観ながら一日寝ていよう」

……これで元気になれるかというと、そうでもないのが難しいところ。

もちろん、寝ころがってテレビを観るのが悪い方法だというのではない。観ているうちに「あっ、これだ」と求めているヒントが見つかってガバッと起き上がったり、ドラマの主人公に思わず感情移入してその気になっていたり、笑い転げているうち落ちこみ気分がふっとんでいた……なんてこともあります。ただ確率としては「あ〜あ、テレビを観て一日だらだらしてしまった。オレはしょうがない奴だなあ」と虚しくなることのほうが多いでしょう。

体の疲労は物理的に休むことが必要ですが、心の疲労がたまっているなら、「疲れているからしょうがない」ではなく積極的に楽しいことをやったほうがいい。休むなら自分のリズムを整えるのだというつもりで積極的に休む。疲れたリズムにはまっていないで、頭を切り換えるということです。

釣りでもいい、草野球でもいい、スケッチに出かけてもいいし、公園でベンチに座ってぼんやり過ごしてもいい、気になる映画を観に行ってもいい。何でもいいから本当に楽しめることをする。こうやって積極的に切り換えていくことで、次のヒントが見つかる。

この切り換えのリズムとして、定期的な「休み」をとることは重要です。スポーツ選手でも、伸びていく人はオフの生かし方がうまい。

同じところにずっといて、一生懸命没頭しているだけだと、いずれミスが起きます。集中力には限界があるし、視点も狭まってくる。これをやらなくちゃ、次はこれをやらなくちゃと意識ばかり過剰になる。「さあ、休むぞ」「これから遊びに行くぞ」というとき、意識が潜在意識に「今度はおまえの番だよ」と信号を送るのです。あとは「休みの間にいいことを思いつこう」などと考えず、遊ぶときは遊ぶことだけ考えればいい。

ひょっとすると、その間に「あっ、これだ」と思いたち、即座に仕事にかかるかもしれない。あるいは「たっぷり遊んだぞ、おもしろかった。さあ明日から仕事だ」とリフレッシュして、潜在意識が準備したものがグーッと出てくるかもしれない。

世界の発明・発見はどこで生まれたかというと、研究室の中ではありません。お風呂、トイレ、散歩中、うとうとしているとき……そんなものです。切り換えのコツをつかんだ人は、ボーッと休んでいるように見えても潜在意識は問題の答えを探して積極的に活動している。意識が休んでいるからこそ、潜在意識がフル活動したのです。

本当に打たれ強くなると、こんな威力を発揮する

これはよく聞かれる質問ですが、あなたはどこで威力を発揮したいのか？むしろそれが大事なことです。

ただ、今までの私の経験から言って、メンタル・トレーニングをしたことで「自分が出せる力」は三割はアップします。仕事でも、人間関係でも、あるいは財テクや趣味でも、その力を生かすことができます。どの世界で力を出したいんだ、というのがしっかり定まっていれば、三割アップというのは「その世界でトップに立てる」実力です。

誰かに勝つことが目的なのではない。その業界なり分野なりをあなたがリードして引き上げていくことができる、よりよいものをつくりあげていくことができるのです。周囲の状況をプラスの刺激として吸収し、プレッシャーをエネルギーにし、それを自分のリズムに生かしていく。これが打たれ強いということ。

こういう人たちがたくさん出てくると、ライバルが互いにみがきあい刺激しあって全体が活性化します。「この業界は今がまさに旬だ」「この分野の研究成果が次々と上がっている」「日本の○○シーンが今注目されている」「時代が新しい波に乗り始めた」などといわれるとき、そういうことが起こっているのです。

自分のやりたいことと、周囲の幸福とが、何らかの接点をもつことができたとき、潜在能力はもっとも発揮されます。

ビジネスで成功を収めた人たちも、「お金をもうけたい」という目的だけで動いていた人はいません。決して宣伝文句ではなく「たくさんの人を幸福にしたい」という動機があるのです。ある人は便利なものをつくることで、ある人は少しでも安く売ることで、ある人は快適さや夢や感動を提供することで……。

あなたの潜在能力は計り知れない。

それをどんな目的に向かって生かしていくのか？

自分らしい人生を楽しんでください。

あとがき

西暦2000年を迎えて、銀行が破綻し、大企業が突然倒産するような、何がおきてもおかしくない時代。経済崩壊、学級崩壊、家庭崩壊など、ありとあらゆる現場で人がダメージを受け、いやがおうでもネガティブな人生をおくることになる。そのためか、社会や権威に対する不信感ばかりでなく、家族やはては自分に対しての不信感までもつのらせているのではないか。

自分に自信がもてない状態というのは、とても不健全で、非常に危険だ。しっかりとした自分をもっていないということは、他人と自分との間にあるはずの確固とした境界が曖昧になっているということだから、容易に他人に感化されやすい。カルト集団なるものが、社会を賑わしているのも、こうした自信のない打たれ弱い人の駆け込み寺的な存在となるからであろう。

本書をお読みいただいて、少しでも打たれ強い自分に気づき、本来の潜在能力によって自分らしさを表現でき、自己の実現のきっかけとなれたら幸いである。

最後に、私のメンタル・トレーニングの理論を支えているのは、共に実践してくれている選手達であり、私に新しい視点や理論の確信を与えてくれた彼らに、この場をかりて感謝したい。

また、本書をまとめるにあたり執筆を強く勧めていただいた青春出版社の手島智子さん、原稿の執筆にご協力いただいた武田裕子さんなど出版関係者各位に深く感謝します。

青春新書
PLAYBOOKS

人生を自由自在に活動《プレイ》する

人生の活動源として

いま要求される新しい気運は、最も現実的な生々しい時代に吐息する大衆の活力と活動源である。

文明はすべてを合理化し、自主的精神はますます衰退に瀕し、自由は奪われようとしている今日、プレイブックスに課せられた役割と必要は広く新鮮な願いとなろう。

いわゆる知識人にもとめる書物は数多く窺うまでもない。

本刊行は、在来の観念類型を打破し、謂わば現代生活の機能に即する潤滑油として、逞しい生命を吹込もうとするものである。

われわれの現状は、埃と騒音に紛れ、雑踏に苛まれ、あくせく追われる仕事に、日々の不安は健全な精神生活を妨げる圧迫感となり、まさに現実はストレス症状を呈している。

プレイブックスは、それらすべてのうっ積を吹きとばし、自由闊達な活動力を培養し、勇気と自信を生みだす最も楽しいシリーズたらんことを、われわれは鋭意貫かんとするものである。

—創始者のことば— 小澤和一

著者紹介
岡本 正善（おかもと まさよし）
昭和40年東京生まれ。東海大学文学部卒業。情報社会におけるストレスを学び、能力開発研究所を経て、「メンタルトレーニング施設企画」を設立。多くのプロゴルファー、プロ野球選手などの才能を引き出してきた実績から、最近では、企業での能力開発指導や講演会に多忙を極めている。

逆境《ぎゃっきょう》を生《い》き抜《ぬ》く
「打《う》たれ強《づよ》さ」の秘密《ひみつ》

青春新書 PLAYBOOKS

2000年4月10日 第1刷
2015年5月5日 第31刷

著者 岡《おか》本《もと》正《まさ》善《よし》

発行者 小澤源太郎

発行所 東京都新宿区若松町12番1号 〒162-0056 株式会社 青春出版社

電話 編集部 03(3203)5123 営業部 03(3207)1916 振替番号 00190-7-98602

印刷・中央精版印刷　製本・フォーネット社

ISBN 4-413-01798-6